P9-CRX-208

我与世界只差一个你

张皓宸 著

天津出版传媒集团
天津人民出版社

我与世界只差一个你，

因为是你，

晚一点没关系。

引言

我与世界只差一个你

世界说大很大，说小很小。

大到走了那么久，还没跟对的人相遇，小到围着喜欢的人绕一圈，就看到了全世界。

这本书起笔于冬天，想尝试些改变，这次没有写那么多身边人的故事，而是选择创造一些可爱的角色，用影像化的方式写故事。因为我在想，真实的故事每天都在发生，我们每个人已经是最好的记录者了。于我，只想身体力行地表达一些更温柔的情感，单纯想写一些更好看的故事，不去限定告诉你这个人在我生命里是谁，而是用不同的人来让你代入自己的感情。

这本书就像酒店门口的伞，遇见下雨天，告诉你别淋着，它也像一个残忍的耳光，让你沾沾自喜快忘了自己的模样时对你狠心提醒，它还像你淹没在孤独人群里的一声叫喊，你一定会回过头。嗯，有人正在找你。

十二个故事，各式各样的男女，在你某个临睡的深夜或是赶路的地铁公车里看看，任你选择，跟其中几个人认识，感受他们的爱恨，或欢喜或悲哀，或疯狂或遗憾。在你落单时、暗恋时、失恋时、试图放弃时能成为一个隔空的拥抱，给你些许无声的安慰。

希望你慢点读它，可以听着歌，吃着爆米花，希望你也能把它放在枕边，相信爱的吸引力，一定会得到最好的幸福。

愿你能因为某个人的出现而让世界丰盈，愿你的生活如同贺卡上烫金的祝辞欢脱，愿这悠长岁月温柔安好，有回忆煮酒，愿你没有软肋，也不需要铠甲，愿我们和爱的人一起浪费人生，热泪盈眶，长生不老。

我与世界只差一个你，因为是你，晚一点没关系。

2014 年 12 月 12 日

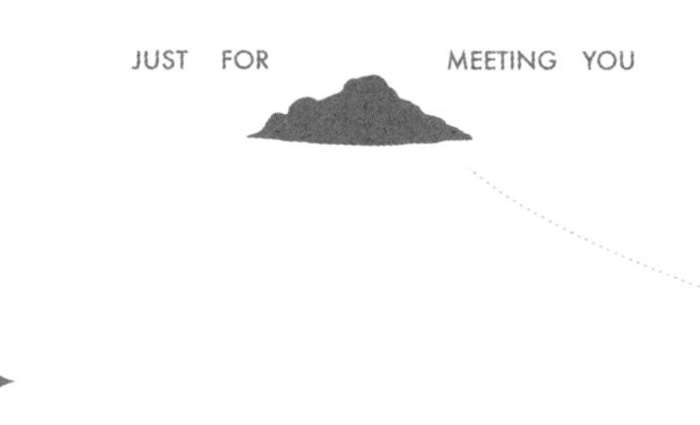
JUST FOR MEETING YOU

目录

FW:

随手转发正能量

“您拨打的用户已关机，请稍后再拨。”

何璐给男朋友付小天打了一下午电话，这是付小天去美国出差的第二天，算算这十几个小时的飞行现在怎么着也落地了，但一直提示关机。她听着手机里的机械女声，心想，稍后再拨你倒是给我通啊。

何璐，某广告公司创意总监，人称千面教士，在前一秒可以挂着空姐标准微笑拎着一大袋下午茶犒劳同事，后一秒开分上会的时候就骂得人狗血淋头，让人恨不得把上周喝的星巴克都吐出来还给她。她的衣帽间里全部都是当季最新的大牌，整个化妆台和小冰箱里摆满了黑色系香水，按运势风水决定今天喷哪瓶，不化妆不出门，眼角的最后那一笔眼线喜欢飞到月球去，猛一看就是一个标准的现代女王。

但经不住仔细看。

她的爱好非常接地气，喜洋洋与灰太狼狂热爱好者，反感流行歌，酷爱网络名曲，“动次打次”那种。她还是人前精致、背后邋遢的典型，一定不要看她的家，因为你会以为她同时跟二十个糙汉住在一起，且这番狼狈景象也不过是她男朋友一天没收拾所致。

她男朋友付小天，典型温顺小白脸，所有人都觉得他是何璐的宠物，看见主人必摇尾巴，有问必答，让他往前他跑得比运动员还快，让他摘个星星他还真的研究过给星星命名这件事。这一对天作之合的“玉童金女”在一起四年，这要追溯到大学毕业那天，何璐抛的学士帽砸中了付小天，没想到砸出了一段姻缘，付小天说要一辈子做她的剥虾专业户以及洗脚师傅。

“出”和“轨”这两个字，在何璐的字典里根本无法组成一个正常的词汇。

电话打不通，下班后何璐只好一个人吃饭，路过某大牌旗舰店时心情大好地买了个包，嘴痒想吃泡芙，于是戴着墨镜下到负一楼，坐电梯的时候她觉得身上的味道有些奇怪，看来是今天选错了香水，后来才知道选错香水的原因是今天风水不好，因为她看见付小天像逗小孩一样正喂一个整容女吃泡芙。

“肌无力吗，自己不会动手？”何璐飘到两人旁边默默地对整容女说话。

两人像是看到鬼，在泡芙店前忘我地尖叫了起来，何璐视若无睹，照常买泡芙、装袋，然后转身想走。付小天突然把她拽住，半天憋出几个字，“我一直想跟你说……”何璐别过头打断他，“你没在太平洋坠机，我真觉得有点可惜。”然后头也不回地走了，像是路过家楼下看见两只野猫偷情一样，特别事不关己且潇洒。

然后一个人在酒吧哭成泪人。

付小天还说去美国，真是长本事敢骗我了，我一原装的竟然输给玻尿酸，谁给你的胆子劈腿啊，谁允许在老娘说不要你之前你先罢工的啊，何璐一杯接一杯地灌酒，全程戴着墨镜，镜片几乎都湿了。

从酒吧出来后，何璐的意识就进入了二次元，她觉得街上的行人都在笑，房子不是房子，车子不是车子，打着趔趄走了几步，她突然很想吃火锅。

因为酒精过敏，何璐的脖子到脸全起了红疹，眼线睫毛膏还伴随着干透的泪痕铺在脸上，以至于海底捞热情的服务生阿姨都看僵了，旁边表演甩面条的小伙儿吓得直接把面缠在了脖子上。何璐醉得已经看不清 iPad 上的菜单，丢给服务生随便点，服务生现在很想点 120。

等开锅的时候，何璐瞧见旁边座位的一对男女，男人坐姿像个姑娘，一直埋着头，女人则正襟危坐，两手放胸前，看着像是在吵架。上菜的间隙，何璐一直在偷听他们讲话，女人每句话前会先加一句“李冲我跟你说”，然后再开始进入正题。她说她讲话喜欢反着讲，作为男朋友必须听懂她的意思，还让他少点话语权，哪个男人不是绕着女朋友转的，还说手机的作用就是让他接电话的，不希望响了五声还没人接，以及一个有了女朋友的男人就不该再出去混局了，女人如衣服，朋友如手足，那是古人说的话，不给你衣服穿，你还有脸出门吗。

何璐听到这里，身上的汗毛已经全竖起来了，虚晃的意识中，好像看见平日那个趾高气扬的自己，也是这么跟付小天说话的，每个字句、每个表情都霸道到不可理喻，无以复加。

男人像个受气包一样照单全收，在一边点头如捣蒜。

“你再这样，我可是要跟你分手了。”那个女人轻描淡写地撂下一句话。

这句话何璐也经常说，她看见自己坐在对面咄咄逼人的样子，觉得胃里有些难受。开锅后的红汤不小心溅到她手上，一股无名火上头，她起身到隔壁桌站定，俯下身搭着男人肩膀醉醺醺地说，“你叫李冲是吧，兄弟不是我说你，你妈从小都没这么数落过你吧，有人是矫情丫鬟命，你还非拿她当公主，你傻啊。”这话一出，那女的就不高兴了，嚷嚷着“你谁啊你哪里跑出来的”，然后非常小人物地说了很多难听的脏话。何璐吐了口酒气，把墨镜摘下一半，露出与眼妆混成一团的眼睛，歪着嘴，对着女人就一顿扫射，“你先闭嘴，我说咱能不那么作么，有时间列那么多不平等条约，好好让脑袋多装点实在东西吧，别把矫情当优点，长这么低调活得这么嘚瑟，以为全天下都欠着你啊。人一大好青年，被你训得话都说不出一句，这么个谈恋爱法儿，智商是往负二百五上靠吗，中情局怎么没抓你啊！”

她觉得好爽，骂得自己好爽。

疯子，疯子！女人气得说不出话，何璐在被服务生拽走之前，指着男人喊，“李冲，她不要你，我要！分手不就俩字儿，爷们儿，坦荡荡！”

被服务生拽走之后，何璐的意识就模糊了，她觉得自己身体变得好轻，接着思绪从海底捞飞到泡芙店，然后越飘越远，飘到决定跟付小天同居那天看的房子里，一起上课的教学楼里。后来，记忆一片混沌，最后能记得的，是那个桌上的女人变成自己的脸，而那个叫李冲的男人，胆小着佝偻着背，他默默回过头，变成了付小天的样子。

何璐是被楼上的施工声吵醒的，她整个人倒在卧室的地上，太阳穴突突直跳，已经记不清自己怎么回的家。房间里都漾着酒气，她艰难地爬起来，想喝点水，手却鬼使神差地去掏手机。一通电话都没有，一条微信也没有，付小天也是够狠的，她被甩了，她现在是全天下最可笑最可怜的人，竟然没一个人安慰。呵呵，真是太把自己当回事，何璐摇摇脑袋，踩过地上狼藉的衣物和文件去客厅倒水喝。眼看已经11点，她还不紧不慢地洗漱、化妆，用了好多遮瑕膏拼命遮住已经肿得很高的青蛙眼。

何璐到了公司后才点开微博，也是从此刻开始，醉后的危机才正式上演。

她关注的那些段子手大V，不约而同转发了一条微博，原博是这么写的：

昨晚11点40分左右在××路海底捞吃饭，碰到一个女生，戴着墨镜，身上有红疹，长鬈发，身高1米60左右，她应该是喝醉了，但是帮了我一个大忙，我很想找到她，告诉她我喜欢她，希望大家能帮我转发，照片如下。

何璐机械地点开配图，也是当场就醉了，图上是她被两个海底捞服务生扛走的抓拍，那张变形的脸和衣角被卷起露出的肚腩简直惨不忍睹。何璐呆坐在办公室，盯着那些说“随手转发正能量”的热心转发出神，感觉自己被谁拎去了火山口，像是《2012》里那个奇葩电台 DJ 一样，拥抱喷涌而出的岩浆，分分钟化为灰烬。

何璐怎么也想不起来那晚发生了什么，唯独记得有李冲这么个人，以及被火锅油烫过的手。像做了坏事怕被发现，何璐感到前所未有的压力，她撑住脑袋，用力扯了扯阵痛的头皮。

恰好这时新来的实习生抱了一叠策划案敲门进来，看见她的电脑屏幕，单纯孩子本想借此跟领导套套近乎，就随口说了句“这人的衣服是不是璐姐也有一件啊”，谁知偏偏撞上了枪眼，何璐一巴掌拍上桌子大声呵斥，“我怎么可能有这种衣服，把你眼睛给我洗干净再说话，策划案拿回去重写！”

“可、可您还没看呢！”

“眼神儿这么差脑子能好使吗，出去出去！”

何璐看见那实习生几乎是含着泪飘走的，她心里埋汰了自己一万遍，可就是控制不住情绪，这枚已经蓄势待发的地雷，谁踩上谁遭殃。

自此以后，何璐每分每秒都在关注着这条微博。越来越多的人参与转发，更有很多热心的网友已经提供了好多线索和候选对象，更好笑的是那个叫李冲的男主角竟然还在自己微博上直播找当事人的动向，今天去了哪，见了谁，寻寻觅觅，一直没找到那个她。

那个她，现在很想死。

网络真的是个很神奇的东西。

短短两天时间，线索就越加明朗了，泡芙店的收银员说这个女子来买过泡芙，好像撞见了自己男朋友出轨；海底捞的服务生跳出来说当时她喝醉了，把她送上出租车的时候，记得她说了一声乐成公寓。绑着何璐的那条线震颤得越来越厉害，似乎有很多人正牵着线要找过来了。

下班后，何璐不敢戴墨镜，就戴了个帽子披了条纱巾，还一定要等公司人去楼空了才敢走。在最焦头烂额的时候，付小天来了电话，说要见她。

何璐竟然去了，她一路像做贼一样逃避所有行人的眼神，到了让付小天特意订的餐厅包厢，她看见电视上自己那张醉酒照片已经登上了民生新闻，电视机下的付小天正用叵测的眼神望着她，两个人面面相觑。

“这是怎么回事？”付小天帮何璐把茶水斟上。

“不要问我，我也不知道。”何璐强装镇定，夹菜吃起来。

“璐，今天来我是想把话说清楚的。”

“不用说了，够清楚了。‘出轨’两个字就已经高度概括一切了，你给它那么多阅读理解，人同意了吗？”

“璐，我知道你嘴皮子溜我说不过你，我们在一起这么多年，我怎么对你的你知道，你说什么都是圣旨我岂敢不从。但我今年已经二十八了，就算年纪可以陪着你耗，但自尊心真的也耗不起了。我们都不再是过去那个野蛮女友和受气包了，如果我再不活得像个男人一点，可能一辈子也就这样了，你懂吗？”

“不懂。”

“何璐你别无理取闹了。”

何璐把筷子摔在桌子上，抬头问他，“我无理取闹？你有说过吗？我问你打从一开始我们在一起，你有说过你那么在乎你那颗所谓的自尊心吗？我一直都是这样，在自己世界里活得好好的，是你觍着脸给我骂、给我剥虾、给我当宠物，如果你觉得我强势，那你就反驳我啊，你把你的道理拿出来，把你身上那些连透视都透不出来的男人味砸在我脸上，让我觉得我该听你的。付小天，这都不是你出轨的理由，一个连‘不’字都不会说，要靠出轨来证明自己自尊心的人，我觉得你是在侮辱男同胞吧！”

付小天的脸瞬间多云转暴雨，他握紧茶杯“呵呵”冷笑了两声，“说得好听，你除了让我仰视你，恭恭敬敬地帮你扶正你的皇冠，你根本不会给我平起平坐的机会。你把你那一套大道理绑我身上，觉得我这不行那不行，你有考虑过我的感受吗？你以为自己真的就那么完美，那么重要吗？我真的好累，我眼睛看着疼，脖子仰着疼，全身上下都不舒服。我真的想离开了。”

“给你一个小时，回去收拾行李，一件不留，头发也不允许。”何璐依然很镇定。

“你自己好好的。”付小天无奈地起身。

“钥匙用完放桌上。”何璐说。

付小天停了一下，然后悻悻地走了。留下何璐一个人和一桌子的菜，付小天点了她最爱的松鼠鳜鱼和麻辣小龙虾，她招呼服务员上了份米饭，然后大口大口吃了起来。

一碗米饭下去，她戴上手套，准备剥虾吃，过去都是付小天把鲜嫩的虾肉剥好放到她碗里，现在只能靠自己。虾壳又烫又硬，好不容易剥开，却看见虾肉连着头部的黄色物体，她有些反胃，捂着嘴，眼泪大颗地掉下来。

李冲又一次落了空，这已经是他这几天见过的第十六个疑似海底捞女生了，事情其实变得有些啼笑皆非。因为爸爸是做房地产的，他也算是个名副其实的富二代，只是平时不主动露富，最多是在微博上无意识地发些吃喝拉撒的生活照，只是被眼尖的人认出照片一角的包包是普拉达，餐厅是最贵的那家自助餐厅，以及座驾是玛莎拉蒂。

于是莫名其妙多了很多喊他老公的，以致很多女生都主动联系他，说自己就是你要找的人。李冲很无奈，即便何璐的样子不能记得完全，但她的声音绝对不会忘记。

那晚何璐带着醉意的声音让李冲一想起就浑身酥麻麻的，也是在她喊着“我要你”之后，他忽地燃起了隐藏在心底的男儿本色，当即跟女友提了分手，只是跑出去追何璐的时候，出租车已经走远了。

城市落寞得像是一座迷宫，那些夜晚的霓虹和过往的车辆行人在他眼里都是找到何璐的阻碍。李冲失落地坐在出租车上，司机问他去哪，他只说往人少的地方开，看心情决定目的地。一路上司机都把打车软件开着，各种各样的声音涌进来：我在哪里，要去哪里。

我在这里，要找到你。

出租车一个转弯，缓缓驶向北面的商业街，突然，一个女声从手机里蹿了出来，“师傅你好，我在北街，去乐成公寓。”

李冲一个激灵，上前抓住司机的脖子吼破了音，“师傅！去北街！去接这个女人！”

何璐拉低了帽檐，蹑手蹑脚走在人群里，三分钟前发出的打车信息还没有司机接单，她叹了口气刚想取消，突然就被接单了。打来电话的是一个心急如焚的年轻男子，一接通就像记者一样问道你在哪、你是不是要去乐成公寓、千万别动我马上就来以及好像跟别人说了句“师傅你快点”。这司机也太饥渴了吧，何璐摸不着头脑，以为是恶作剧没有多想就直接取消了订单，她把手机放回包里，正准备走，一辆出租车打了个漂移停在她面前。

何璐盯了一下车牌，就是刚刚叫的那辆没错，嘀咕着还真是遇到奇葩司机了，看这个点也不好打车，于是开了副驾车门，毫无防备地坐了上去。

上车后，何璐看了看时间，付小天应该收拾完了，想想一会儿将面对一个人的家，难免有些怅然和感伤，她把头靠在椅背上，想睡一会儿。

突然，李冲从后座伸出半个头，傻愣愣地问候了句，“你好。”

出租车里传出一阵气沉丹田的尖叫。

“司机停车，我要下车！”何璐抓着门把手，鬼片都没这么刺激的。

“不许停！”李冲整个身子挪过来直接把司机和何璐隔开，然后朝何璐一笑，“我是李冲，那晚海底捞，你帮我说话那个。”

“我、我不知道你在说什么。”

“乐成公寓，还有这声音，就是你了，我找你可久了。”

“你是小蝌蚪吗！哪里生的哪里玩去！司机停车，听不懂人话吗！”何璐觉得世界末日也不过如此了。

“我说你们小两口别闹了，老子在开车！”司机终于忍不住怒了，“载了一个奇葩不够，现在凑一对！”

后来他们纠缠了多久，何璐已经不想理会了，她几乎是快要跑到门卫保安那里喊“非礼”，才把李冲挡在了公寓外面。回到家已经晚上 11 点，身心俱疲，晃了一圈，家里收拾得很干净，付小天果真什么都没留下，他的那把钥匙安静地放在桌上，像个被抛弃的孩子。何璐换上家居服，行尸走肉一般在客厅晃悠，想不起要干什么索性窝在沙发上看剧，昔日她跟付小天在这个沙发上的情景又浮现出来，那时的她头发还没那么长，一边敷着面膜一边让付小天给她剪指甲，小女人的夜晚好不惬意。她越想头越痛，索性闭上眼。

半夜从沙发上惊醒，何璐觉得饿，去厨房找吃的，打开冰箱的时候，看见一排付小天以前买的保健品，上面留着张便签，写着：“这些就不带了，记得按时吃。”何璐看完就蹲在地上哭了，脑里缺氧，全世界都是付小天的样子。

付小天我问你，自尊心这种东西真的有那么重要吗，难道我们曾经在一起的每时每刻都是别人的故事？你要独立我给你，你要自尊心我也给你，只是求你别在这个时候离开我，我的那些被你迁就而来的坏脾气，都是属于你的，没有人会再要我了，没有人会再爱我了。

自从找到了何璐，李冲就开启了疯狂求爱模式。以往那个在女生面前胆小如鼠的富少，如今被何璐几句话就治愈成了超级赛亚人，所谓男孩到男人的转变也不过是一夜之间的事。他每天早上会开车去接何璐，尽管对方从没上过车；会隔三岔五地送花到她公司，但一定会被她丢掉。初级战术以失败告终，李冲就来高级段位，他知道何璐的最大软肋就是被同事知道她就是那个海底捞女孩，于是特意在他们公司楼下等她，还穿得人模狗样地靠在自己的玛莎拉蒂前，让围观群众认出他是谁，然后再蹦蹦跳跳地迎接走出来的何璐。

何璐起初还能靠口罩和衣服伪装或者死守公司不出门这样的招数躲过他，后来这货竟然大摇大摆上他们公司抓人，还能一眼就拆穿故意穿成大妈的何璐，叫嚣着就算她化成灰也认识。

何璐没办法，最终还是上了他的车。

车上，李冲一直在讲一些自己无关痛痒的过去，小时候多么内向，因为样子清秀像女生如何被欺负的，初恋是怎样的，以及抱怨他那个逼死人的前女友。

何璐翻着白眼，终于忍不住了喊对方停车，义正词严地说，“你的过去怎样我不想知道，你的未来如何我也不想参与。你难道一点都没看出来我不想理你吗？你还犯着贱地把脸贴过来。干吗，我屁股上装着一整个南极你感觉不到冷啊。都跟你说了那晚是误会、误会！你不用把我说过的什么话上升到人生观世界观价值观，你发的那微博也把我三观都毁了，咱们扯平了！至于今天我能坐在你车上，就当是给你补补智商的，甭找了，姐姐我大方。”

听完这席话，李冲没生气反倒扑哧一声笑，他说，“这点你跟我前女友挺像的。”

“不止这点像，哪哪都像！”何璐伸出手开始扳指头，“你说她爱钱，我也爱；你说她不给你自由，我也提倡不给男朋友自由啊；你说她没有女人的样子，我除了外表像个女人内心比爷们儿还糙；你说她从不考虑别人的感受，我除了我自己爽从没在乎过别人；你说她夺走了你身为男人的自尊心，我也是这样的人啊……我男朋友也是因为这样才跟我分手的你知不知道，我不管那晚我喝了酒跟你说了什么神经话，我只知道，这就是我，我就是这么讨人厌！”

何璐自己说着说着就哭了起来，号啕大哭那种，以前她总认为自己是对的，可是真的开始数落自己的时候，才觉得一双手根本数不完。李冲见状，犹豫地挪了挪身子，电影里每到这个时候，女主角都会倒在男人的怀里，然后成就一对神仙眷侣。可当他把胸挺起来的时候，何璐哭得梨花带雨一记闷拳直接砸在他胃上，然后一记右勾拳落在他左脸。

李冲被狠狠揍了一顿。

后来，何璐给大厦的工作人员说李冲是个变态，调了几次记录，还真看到他鬼鬼祟祟进大厦的监控，于是只要他一出现，就会被保安赶走。即便下班再也接不了何璐，但他的情人玫瑰还是照常送去何璐的办公室。不止这样，她的一切社交媒体全部都充斥着李冲的身影，他究竟是有多闲才会在她微博下面每天不停写留言啊，还好微博话题更新频率快，海底捞事件很快也被网友淡忘了。如此死缠烂打的追求方式并没有让何璐对李冲萌生半点好感，仍然恨不得他立刻从这个地球上消失。

临近年终，公司接到一个大客户，老板直接给何璐批了一笔她从业以来最大的预算和奖金，于是她就正式从失恋的阴霾里转换到工作上，跟同事开了无数次头脑风暴会议，然后整晚整晚地熬夜看国外广告节的获奖作品，那段时间真的算是她人生的巅峰了，没去逛街，香水也不喷了，因为经常忘记卸妆索性涂个防晒霜就出门了。若家里之前像乱坟岗，那现在就像被原子弹轰过，满墙满地的设计稿和方案。这段时间的何璐，似乎把对付小天的怨恨全部发泄到这项案子里了，她要拿到客户最满意的认同以及最丰厚的奖金，来证明她不需要臭男人，一个人真的可以。

但是交项目企划书那天，她的世界又崩盘了。

原来这个客户，是李冲的爸爸，不用说，是李冲执意牵的线。何璐觉得自己被耍了，撇下正在开会的人直接跑出了会议室，当时李冲也在场，也跟着冲了出去。

他在走廊拉住何璐，解释道，“我知道你失恋不好受，才想办法让你换个心情。你看你这段时间都在忙工作，成绩这么好，不是没有那么难过了吗。”

“你是我的谁啊，我失恋好不好受碍着你了吗？你体会过明明是男友出轨，最后觉得是自己最差劲的心情吗？如果没有，那就把你那份同情心揣牢了送给灾区，送给你自己。”

“我不是谁，我就是喜欢你，想让你开心。”

何璐觉得这简直是史上最好笑的逻辑，她此刻好想在中国法律上多定一条，所有单恋者都该去死。从自己种下误会，到莫名其妙被追求，然后是好不容易想让工作把情殇埋掉结果都扑了空，一切都不顺利，一切都是因为李冲。她觉得好累，本来想说更多狠话，但到了嘴边，只冒出最丧气的一句，“好啊，既然你这么有能耐，那就用你的钱表示有多喜欢我。”

从此以后，何璐每天下班都带着李冲这个活体信用卡刷遍各大名品店，疯狂清空淘宝购物车，以及让李冲当她新一任的剥虾专业户及洗脚师傅，并且从不对他说“谢谢”。只是，这个当时被这样的女人吓跑的男人，竟然对何璐的一言一行完全免疫，每天笑脸盈盈地满足她任何要求。

很多女人有种通病，叫不炫耀会死症，一句话总结就是“我要告诉全世界我活得很好，老娘就是女王”，对千面教主何璐更是如此。因为破罐子破摔大方接受了李冲的金钱攻势，而让所有同事和路人都以为他们在一起，男朋友长得秀气又多金，关键是还肯为她花钱，异常羡慕。这原本是一场啼笑皆非的误会，到后来让何璐在这份虚荣里忘了自己是谁，她每天在微博朋友圈上炫耀，在生活里更加横行霸道，没有向任何人否认，她只是想用李冲最讨厌的方式让他自己收手，反而让他们之间多了更多亲密的互动。

故事的高潮是何璐他们公司集体去兰卡威旅游，在吉隆坡转机的时候，老板说今年利润与去年同比高了30%，最大的军功章颁给何璐他们这次房地产的项目，放话说这趟海岛之行，住最好的酒店，吃最好的洋餐，所有食宿开支不设上限。

从兰卡威机场出来，冬天转换夏天，摆脱一身厚重大衣，何璐他们一行人就疯了，这才是海岛的意义。他们的酒店在兰卡威最美的真浪海滩边上，每个人都是豪华套房，何璐躺在两米多宽的大床上，看着落地窗外绵延无尽的海，觉得这半年多承受的好与坏似乎也都值得了。

哦忘记说，李冲也来了。他自掏腰包住在何璐对面，每天谨慎地盯着对方一言一行，像个太监一样驮着自己的主子去海边晒成狗。

同事们似乎都被李冲收买了，约好集体出海的时候，一群人都顾着自拍，拍着拍着人就不见了，最后只剩何璐和李冲两个游客在帆船上。

海上有个项目叫海水按摩，船边挂一个网兜，人躺上去冲浪，李冲知道何璐怕水，故意把她推到网兜里，然后跳下去享受她一边尖叫一边抱住自己的快感。上了小岛的热带雨林，就各种拿死蝙蝠毛毛虫吓她，当然返回码头的时候，他脸上和身上一定会留下何璐的手掌和拳印。

这女人不去当特警真是可惜了。

晚上的海滩烧烤，何璐准备把白天受的惊吓一顿吃回来。当晚所有食物分散在四个亭子里，左右都可排队自取，何璐吃过第八只烤大虾后，决定再来俩凑个整，于是优雅地晃到队伍里，看见餐盘里仅剩的最后一只，刚想夹，却被旁边的人夹走了。

抬头一看，竟然是付小天。

他的那个整容女友也同时看见了他们。这简直比偶像剧还要再狗血几个立方啊。

何璐装作陌生人回到座位，李冲见她端了个空盘子回来魂不守舍的，刚想问，就被一群点着火把跑过来的当地表演者打断了，一个皮肤黝黑的胖子拿着吉他在台上说了些蹩脚的英语，然后更多的乐器掺和进来，那群人开始喷火和跳舞。

在游客们情绪都被点燃的时候，那个胖子好像说了句“Don't be shy”，然后那些表演者来每个餐桌上拉人了。非常幸运地，何璐被选中了，隔了三四张桌子的付小天也被选中了，非常不幸地，他们被组成了一对。

胖子让所有人两两一对听节奏向前顶胯和向后撅屁股，本来前面两对还好，可等到何璐和付小天，胖子鬼使神差地连续叫了好几个向前的口令，只见他俩越靠越近，下面观众的欢呼声也随之越叫越响，场面好不尴尬。

这时候，那个整容女突然从座位上跳起来想把付小天拉下去，胖子“NO、NO、NO”地阻拦，台下的游客也起哄，整容女急了，大吼一句标准的东北 Chinglish，“He is my boyfriend，要跳也是 with me！”说着抱住付小天就是一顿亲啊揉的，骚劲一秒钟释放，停都停不下来。

何璐当场傻眼了，平时最得力的那张嘴今天完全派不上用场，李冲本来不知道付小大就是何璐前男友的，但听到桌上她的同事议论，也就恍然大悟，冲到何璐跟前，丢下他毕生的羞耻心，脱掉T恤，把一旁表演者的草裙借来穿上，牵起何璐就是一段华丽丽的冲式舞步——乱跳。他不仅把眉毛已经挤成一团的何璐搬上搬下外加绕圈，还故意用屁股把付小天和整容女挤出观众视线，整容女看不过去，一边往两人身边挤一边问，“你谁啊？”李冲一个转身，“何璐的银行司机兼保镖，行动人形立牌，抗压人肉沙包，三字简称，男朋友。”然后两手合拢作揖说，“东北滨崎步，幸会幸会。”这一外号，把整容女直接逼急了，她把表演者的火把抢了过来，拉着付小天钻到何璐和李冲中间，把付小天当钢管一样扒着来回转，马戏团都没那么精彩。

最后是李冲情绪到了高点，直接亲上了何璐的嘴巴。付小天见状，一拳朝李冲脸上抡过去，这段精彩表演，才彻底结束。

音乐和台下的游客都安静了，胖子也识趣地抱着吉他下了台，招呼多余的表演者散开。

“不爽了？我亲何璐你不爽了？”李冲拎起付小天的衣领质问道，“那你当初抛弃她的时候有没有想过她会成为别人的女人？”

“李冲你闭嘴。”何璐皱着眉，觉得丢人。

“你跟她在一起那么久到底有没有真的了解过她？”李冲更激动了，“她不是霸道，只是有主见；她不是强势，只是给自己安全感；她不是神勇铁金刚，那点脾气只是用来掩饰她心底的脆弱罢了。如果你懂她，就该让她去决定她能决定的，放弃她可以放弃的，在她有所期待的时候不要让她失望，在她脆弱的时候扶她一把，在她每次说她很好的时候就别真的离开了，就该知道她能一直欺负你霸占你所有的时间，是因为她爱你！”

“我让你闭嘴！”何璐扇了李冲一耳光，“你心灵鸡汤看多了，会说那么多排比句就是懂我了？你不过是一张我拿着都嫌重的信用卡！我谢谢你这么会夸我，但你真夸错人了，没那么多只是而是，我就是那样的人。有句话你听好了，李冲，你女朋友不要你，我更不会要，就算你死了，我都不会为你哭一下，你还在这里逞什么英雄啊！”

时间在此刻好像停顿了几秒，空气稀薄得像是只能依稀听见远处的退潮声。何璐捂着嘴，眼睛像被木炭熏过一般红，她看着李冲光着上身穿着草裙跑走的画面觉得特别好笑，不是笑他们这一场相遇有多么喜剧，而是笑她自己，这么多年过去，原来最懂她的竟然不是自己。

她终于知道，有人不光能忍受她身上的刺，还能拔掉这些刺，有人能为她昂首挺胸而鼓掌，也能在她脆弱低下头的时候，帮她接住掉落的皇冠。

而这个人，最后也没能留下。接下来的几天，李冲就消失了。

何璐不敢去找他，也全然失去了旅行的心情。回国后，遇上寒潮，何璐睡了个昏天黑地，十二个小时后醒来，她无力地滑开手机，显示无服务，怪不得没一个电话吵她，当她用 wifi 打开微博时，才看见飞机失事的消息，她看着航班号有些头晕，便下床喝了杯水。从客厅一路回卧室，从桌上的花瓶、摆件、冰箱贴到鞋子、包包，床头的公仔，全部都是李冲送的，不知不觉，这张信用卡已经完全霸占了她的生活。

她收拾好心情，然后又刷新微博，关于那架失事飞机的讨论接踵而至。昨天，她刚从这架飞机上下来，而且她清楚记得，李冲说跟她的航班号一样，只是晚了一天。

她骂了句脏话，咬着已经发青的嘴唇，泪如雨下，是谁说，不会为他流泪呢。

何璐颤颤巍巍地点开李冲的微博主页，看见他一天前发了一条微博：

我的女王，自从爱上你，我变得好霸道；自从爱上你，我收藏了好多笑话；自从爱上你，我看见像你的姑娘都想亲一下（哈哈）；自从爱上你，我无所不能；自从爱上你，我也爱上现在的我了。我只是来谢谢你，不要想太多，好好照顾自己，不行就让我来照顾你。

何璐倒在床上，把手机甩在一边，她突然想起那晚在海底捞的情景，她记得自己醉醺醺地坐在出租车上，好像听到身后有人叫她，她转过身看见李冲大老远边跑边吼，“姑娘，我叫李冲，谢谢你！！我一定会找到你！！”

白痴！何璐张着嘴，眼泪从眼角落在耳朵上，好痒。她觉得一辈子所能发生最大的悲剧应该就是现在了吧，是跟付小天分手的十倍，哦不，二十倍，三十倍。她的悲剧，都是自己作出来的，在拥有的时候轻易虚掷，失去后再自扇耳光，秉承着那一套“本该是如此”“我脾气就是这样”的圣母教条，向所有人证明失恋的人最伟大，既想让别人包容，又忍不住把向她走来的人推开一次又一次。

暮色四合，何璐的眼泪一直没停。

她用力翕了翕鼻子，再一次鼓起勇气看手机。

刷过几条最新失事飞机的消息，看见几个段子手集体转发了一条一个小时前发布的微博：

我女朋友是那班飞机，但是值机柜台上没她乘机信息啊，手机也打不通，求各位能联系上她的亲朋好友速速通知我，电话185××××××××，转发送楼送车啊！女朋友照片如图！

配图还是她那张在海底捞戴墨镜露肚子的照片。

李冲说，那晚他跑走之后，出海去另一个小岛独醉了三天。他一直记错了时间，7 日回国记成了 8 日，所以根本没上那架飞机，但以为何璐在上面。

那段时间，关于飞机失事的消息不绝于耳，穿着家居服的何璐窝在沙发上，看着电视新闻播报，又有新的国家主动参与搜索失事飞机黑匣子的下落。她记得那天与李冲重逢的情景，两人相拥而泣，像是失而复得的情侣，在一起好久的家人。

何璐一只手搭在沙发扶手上，另一只手，正被李冲牵着。

要有多幸运，两个人才能健康无事地执手偕老。平行时空里，飞机上的人都回了家，自此谁都别忘了，能拥抱到身边的人才是最奢侈的事。

一百个人，有一百个对爱情的态度。我们谁都会受伤，也都会在爱里成熟，不依赖天长地久的承诺，不抱有唯我独尊的自负，在一百次冲动之前，看看自己在这段感情里的收获，别轻易觉得爱可弃，心可医，一个人能行。最好能记着，别人给你的爱，都是无辜的。

随手转发正能量。

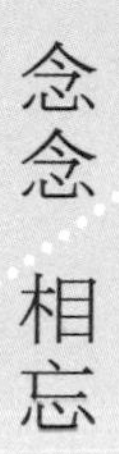

念念 相忘

许念念洗完澡，头发还没有干透。她拿毛巾擦着头发，拉开卧室的遮光窗帘，窗外一片晴朗。

这是她到北京的第四年，毕业后在一家外企公司做行政，因为特别擅长催合同催尾款，被老板视作心腹，酒桌上大手一挥，说北京三环内的房子随便挑，我给你付首付。

当然，许念念现在住的这个房子是自己租的，这个世道，你可以指望路边乞丐分你一馒头片儿，就不能指望老板大方。

男人的话都不可信。

许念念看着镜子里的自己，二十六岁，皮肤还算紧，眉眼间也还留有点英气，轻微的法令纹自拍时用个磨皮就没了，有人说过了二十五岁状态就每况愈下，但在许念念身上唯一的印证，应该只是越来越嗜睡吧。

她煮好咖啡，穿上一件黑色的大衣，这是两年前挤破头买的限量款，结果被说穿起来像《千与千寻》里的无脸男，于是尘封柜子底，只在每年的这个时候穿一次。

整理大衣的时候，许念念摸到藏在内袋里的小钥匙，她眉头微蹙，像被一根线扯着什么似的，到柜子前把抽屉里最深处的心形盒子取出来。盒面上花花绿绿的，像前几年那种奢侈的月饼盒子，她用钥匙把盒子打开，最里面装着一堆信、游戏点卡和磁带，面上压着一张贺卡和某选秀节目的通关卡。

“又在回忆过去了啊。”一个男声出现在身后。

许念念感到额角直跳，转过身，杨燚咬着香蕉站在卧室门口，他穿着一件宽松的连帽卫衣，左手拽着卫衣上的绳子绕啊绕的，高大纤瘦的身材，满脸霸道的痞子气，好像从初中认识他到现在，就一直没变过。

"你外面煮的咖啡要放凉了。"杨燚咧着嘴说。

许念念慌忙地收拾，盖上盒子前，一个穿着"天""长"珠子的手绳掉了出来。

关于这个手绳，要从 2003 年说起。

许念念初二那年跟着妈妈转校到 A 中，好巧不巧被分进了年级最差的班。这个传说中把实习老师气得抑郁，混蛋指数远近驰名的魔鬼班级，由两个人领导，一个叫杨燚，人称"杨四火"，专烧好欺负的同学，自认为颜值爆表，走路都得横着走；一个叫路望，人跟名字一样，捉摸不透，在 2003 年敢留刘海的男生，要么纯娘炮，要么纯帅哥，路望属于后者，没有任何杂质的帅，不过看似好学生的躯壳，却伙同杨燚做了不少坏事。

想来好好学习的许念念跟这个魔鬼班格格不入，在第二次因为一道数学题没听懂举手让老师再讲一遍结果耽误了下课后，成为全班公敌。起初也只是不被待见，走过路过时大家像避瘟神一样抛之白眼，后来演变成凳子上被涂满 502 胶，发下来的作业本被人撕了一半。但当时留着妹妹头，一身灰姑娘气质的许念念只是一声不吭地默默承受，卑微得如同被除名的冥王星。

万圣节那天是周五，杨燚本来约着班上的同学晚上去家里聚会，结果班主任临时规定不允许节日集会，全体上晚自习。气不过的杨燚跟路望在班主任的办公桌里放了只死耗子，在班主任被吓得灵魂出窍时又关了灯，踉跄着想往门外跑，结果整张脸贴在门口早已准备好的透明胶上。

杨燚跟路望逃走的时候，正好在走廊上撞见许念念。第二天一早，鼻子撞歪的班主任轻松揪出杨燚和路望，让他们在操场跑十圈，并全校通报批评。杨燚一口咬定是许念念告的密，于是接下来的排挤简直就是清朝十大酷刑，自行车胎被扎破、饭盒里吃出蟑螂、进了厕所隔间然后门打不开、文具和教科书每天跟她玩躲猫猫。直到有一天许念念看见书包散了一地，爸爸临终前送她的翡翠摔成两半，她的脸上才有了些表情。杨燚靠在椅背上一脸坏笑地看着她，许念念低头顺了顺刘海，默默地走上讲台，定格了几秒，突然转身拿起粉笔刷就朝杨燚丢了过去，杨燚拍桌子站起来，结果被许念念两掌拍在讲台上的声势吓得坐了回去。

“你流星花园看多了以为自己是道明寺吗，从欺负别人那儿找存在感，心智怎么会那么不健全呢，你小时候被人拐过吧，姐不睬你是懒得浪费脑细胞陪玩，结果还一次比一次得瑟。还有你，那个叫什么望的，你以为你们俩是 twins 吗，要当下一站天后啊？看上去人模狗样的，结果满脑子包，苍蝇叮上去都崴脚，你俩作奸犯科干啥都绑一块儿，咋不跟他从娘胎里一起挤出来呢。姐今天我把话放这儿了，谁再搞我一下，我就让你像这翡翠一样跟我爸去陪葬！”许念念吼完了，班上的同学傻了。

从此许念念上任毒舌派帮主，更把妹妹头剃了，利索地扎起辫子，露出一双大眼睛随时带着光，班上一大半的男生拜倒在其石榴裙下，跟杨燚为首的动作派并驾齐驱，就连当时全班公认的班花向语安也成了许念念的朋友，她说喜欢许念念的性格，其实是感谢终于有人带她脱离独裁。

许念念和杨燚成了死对头，杨燚什么都要跟她拼个你死我活，所到之处必会掀起一场腥风血雨。那时候他是个热血青年，喜欢听外国摇滚，各种瞧不上许念念喜欢的周杰伦，结果因为许念念的出现，让每天下午上课前的集体唱歌，变成了周杰伦专场。于是他气得买通广播站的同学，一到唱周杰伦的时候就放《林肯公园》，还在讲台上抱着扫帚当吉他忘我地对嘴。当时全班同学都在追动漫，许念念这种身为《通灵王》《犬夜叉》的少年漫画痴迷者，自然就不允许任何人无端诟病，但杨燚那个时候偏偏挚爱宫崎骏，且特别爱《千与千寻》，无脸男直戳他的萌点，于是他们就到底是少年漫更值得喜爱还是宫崎骏的大师级作品更值得追捧而掀起班上两帮辩论。还有在看小说这件事上，杨燚喜欢修仙武侠的，许念念爱郭敬明，当时许念念在作文课上总能笑傲江湖，二十分钟就写完一篇各种辞藻华丽的作文，杨燚不甘心，熬夜读郭敬明的书，一边吐槽一边背句子，含泪把自己变成了忧伤的斜角。

杨燚跟路望喜欢打球，但因为技术不过关，始终进不了全校最受欢迎的篮球队，但每次看到许念念和向语安从球场经过时，四火同学都会摆出一副好像樱木花道附体的架势，大声跟路望讨论“我们篮球队”云云。后来有一次许念念放学经过篮球场，看到一颗篮球朝她飞过来，她原本是想躲开的，但侧面伸出手掌刚好把球拦下了，于是随手把球扔回去，结果进了。

从此许念念成了篮球队特别顾问，因为她十投八中，杨燚和路望醉了，问她为什么每次投球都能中，许念念说，泡泡龙和祖玛打多了。于是接下来，又是一场来自游戏的较量，杨燚和路望玩得最好的游戏是《梦幻西游》，于是向许念念立下战书，若是在规定时间内等级练得没她高，那今后就对她言听计从，绝不影响她学习。

后来，不光《梦幻西游》，他们又接连玩了传奇、暗黑、仙剑、冒险岛，许念念只花了很少的课余时间玩，但都比杨燚和路望厉害，他们俩不服，说她作弊，许念念笑笑说，玩游戏拼的不是时间，而是脑子。

时间回到 2014 年。

许念念开着车，杨燚坐在副驾上，不停拨弄挂在后视镜上的毛绒挂饰。

“路望当时跟你表白，你为什么拒绝了啊？”侧脸的杨燚睫毛显得特别长。

许念念沉默，专注开车。

“让他这平时一句话都说不完整的小子亲口说喜欢，得多不容易，你还真狠得下心。”

“为什么说这个？”许念念终于开口。

“不是聊天嘛。”

“如果可以……”许念念停顿几秒，“我当时宁愿答应他。”

两个人陷入长长的沉默。

开了没一会儿，车被堵在一条拥挤的巷弄里。

初三下学期，杨燚因为知道路望跟许念念表白陷入莫名的恐慌，原本消停的战火又重燃，他不知道自己怎么了，总想 24 小时让许念念注意到他。那时，能跟她比的都比过了，直到班主任郑重其事地说进入高中会重新分班后，他暗下决心，要跟许念念比最后一次，比成绩。

杨燚的初级战术很低级，许念念成绩好，杨燚就把她的作业偷过来抄，结果引起裙带效应全班抄成雷同，连累许念念被老师骂。后来又投机取巧，花高价买了一堆参考书，上面有很多数学语文课本的练习题答案，结果应付了简单的填空选择，到了大题，答案就全部是“略”。他又想了很多办法，结果都无济于事，考试作弊不是抄错题就是被逮，把月考成绩单改了重新复印一份给爸妈交差，但那份原稿无论藏在哪里都能被老妈找出来，发卷子的时候，老师给面子，50分以下不念名字，但总能被上台领卷子的许念念看到。

来自男人的挫败。

杨燚升级到高级战术的契机是因为《哈利·波特》。当时魔法风席卷中国，班上平时最挺杨燚的同学甲因为沉迷霍格沃茨，竟然中毒到去火车站撞站台，后来这个事远近闻名，就连黑人外教上课时也拿来当谈资。护同学心切的杨燚当场就站起来朝外教说了句“Fuck”，外教一听急了，朝他丢了截粉笔，然后杨燚就上台直接朝外教挥了拳头。

学校因为他这个事严重到说升学不会收他，正当杨燚不争气地在路望怀里哭得一把鼻涕一把泪，班主任找他说，只要后面这学期能进班上前十名，就让他顺利升高中，为此，班主任还特地把他换到许念念身边，说要从本质上洗脑，让他在好学生的威慑下彻底屈服。“你不怕我耽误许念念？”天真的杨燚问，班主任冷笑两声，说，“那得看你耽不耽误得了。”

的确，杨燚在这个21世纪最大的毒舌面前脆弱得就像一条毛毛虫，他那种“我帅得在黑夜里都能发光”的自恋，在许念念那儿全变成了自卑。许念念身负重任，给杨燚制定了许多学习计划，杨燚乖乖地悉数接受，心想踏破铁鞋无觅处，得来全不费功夫，不仅能大摇大摆霸占许念念的时间，还能给自己一个念想，努力学习，他要超过许念念，顺利升入高中。

“我问你，高一的时候，你每次考试都提前交卷，为什么啊？”许念念趴在方向盘上，看着前面红彤彤一片的刹车灯，有些困。

“装酷啊。”杨燚调节靠背，把脚蜷起来，舒坦地躺着。

“说人话。”

“逼我自己，每次答题都要比上一次快一些，尤其是在答那些搞死人的物理化学题，这样我下来也能勤奋一点，不然你以为当时能跟你分到理科，我真给了校长好处啊，我可是见到数字就晕的人。”杨燚闭着眼说。

许念念没有接下去这个话题，眼里感觉雾蒙蒙的，悄悄转头看他，瞧见路边有一家花店，她见车的队伍还是没动静，于是拉上手刹熄火，对杨燚说，“陪我去买点花吧。”

高一下学期文理分科，向语安跟路望去了文科，杨燚追随许念念去了理科。也是在高一这年，杨燚第一次看了三级片，原因是路望去租王家卫的碟，结果老板给错了，两个毛头小子异世界的大门被打开，杨燚开始恐慌，因为他每次想到许念念的时候，下半身会有反应。

他跟自己说，一定是跟许念念斗得太厉害，留下了后遗症，结果轮到他们这组打扫卫生的时候，他会不经意在许念念的座位周围来回拖上好几遍。写作文的时候一到人物描写，无论是让写姐姐还是妈，都会不自觉套用许念念的形象。当时班上的座位一星期一换，前四排来回，后四排来回，杨燚个子高，属于后四排，每个月总有一周能坐在许念念后面，他觉得整个世界都明媚了，但只要周一一到，他就恨不得死在这片深爱的大理石地上。更夸张的是好几次看见许念念站在电视机或者坐在电风扇下面，都会不自觉联想电视和风扇掉下来，想起就是一阵害怕和心痛。

他觉得自己病了。

直到有一天向语安拿着心理测试杂志给他们三个做测试，杨燚测出来的答案是 C，守卫型。C 说，你是一个不善于表达情感的人，喜欢把感情藏在心里，你虽然表面很强势但心里对自己更多是不自信，不自信对方会不会喜欢你，所以把自己塑造得好像无坚不摧，没人爱也没人恨，但也正是这样的性格，错失了美好的缘分。没错，如果喜欢就大胆跟对方说吧。

于是杨燚肯定自己病得不轻了。

他有几次都想跟许念念表白的，一次是学校停电，他跟许念念并肩摸黑逃出去，终于牵到对方的手时，他说了一句，“这里好黑，好担心我这张脸没人看得清。”他本意是想表达自己脸很红，结果许念念一个白眼翻过去，松开手说，“如果全世界自恋的人都是铁，那你就是吸铁石，你简直自恋到顶峰了。”一次是在听写单词的时候，英语老师让几个人上黑板上来写，刚好叫到杨燚，他当时两眼一闭心想要搞就搞大的，想直接在黑板上写“I love you，Miss 念念”，结果一紧张连 love 都忘了怎么拼，在“o”在前还是“v”在前挣扎了好久，结果因为听写不合格罚抄了一百遍单词。还有一次在圣诞节，杨燚给许念念送了张音乐贺卡，结果那音乐是生日快乐歌，且打开再合上之后还一直响，伴着这生日歌，杨燚的“圣诞快乐”后面那句“我喜欢你”愣是没说出口，许念念睥睨着眼摸摸他的头说，“孩子，病得不轻啊。”

杨燚觉得天在捉弄他，早已把一切看在眼里的向语安单独找他聊过，说，其实老天在让两个人遇见的时候，已经安排好起承转合了，如果两个人会相爱，那就一定会相爱；如果不能，那无论做了再多，也抓不到自己手里。当时杨燚觉得好有深意，还问她，她这个人见人爱的班花，什么时候这么懂爱情会觉悟了，她说，因为我喜欢路望，但他不喜欢我。

转眼上了高二，课业压力更重，杨燚篮球也不打了，游戏也戒了，专心致志地学起了吉他。当时快男比赛火热，许念念最欣赏陈楚生，班上那个吉他弹得最好的同学乙还追过她，为此醋意大发的杨燚省下早晚饭钱买吉他，每晚翘掉一节晚自习去找吉他行的老板上课，为了学习上不拖后腿，回到家还要再做几套模拟卷，一熬就到凌晨。

终于这种非人的折磨让杨燚直接晕在了升旗仪式上，医生说他低血糖外加操劳过度，住了半个月的院，不过也因此因祸得福，许念念每天放学都会来看他，顺便给他补课。

其实学生时代能助推爱情的地方，不是学校操场或者宿舍楼下，而是医院。男女处在一间房里你侬我侬的，同床的病友再一添油加醋，感情值飞速上涨。杨燚终于向许念念表白的那天，是许念念给他削苹果，结果伤到手，杨燚学电视剧桥段，一把抓住她的手指就塞到嘴巴里，结果被血腥味呛得差点没咳死，他尴尬地用纸巾把许念念的伤口包住，含情脉脉地说，“我真的没啥本事，想干点坏事的时候就被老师捉到，考试的时候总会把正确的答案改成错的，就连我最喜欢的女孩儿都追不到。”许念念开始还嘴硬，装傻问他哪个女孩这么不走运，结果单纯的杨燚带着哭腔大喊，“你啊，我的祖宗！”

当晚杨燚就出院了，拿着一张创可贴跑到许念念家楼下，然后打电话叫她到窗台，因为创可贴太轻，根本扔不到三楼，于是就随便从书包里抽了几张卷子包着石块一起扔，结果没扔到三楼，倒是砸破了二楼住户的窗户，连累许念念一起赔了下周的饭钱，两个穷鬼投靠路望和向语安，每天啃包子啃得非常开心。

在高二气氛最紧张，满空气都是油墨味的时候，许念念和杨燚恋爱了。

花店里。

“你是什么时候喜欢我的啊，不会是在医院我跟你表白的那一刻吧？”杨燚站在许念念身后，问她。

“你喜欢百合还是菊花啊？”正在选花的许念念没空搭他的茬。

“你不说我就当你对我是一见钟情，从初中转学那会儿你就拜倒在哥的容颜之下了。”杨燚自顾自地说。

“菊花吧，适合你的气质。”

“你气质才是菊花呢！”

许念念买完花，走之前侧着头跟杨燚说，“我看过一本书，上面说，任何事情一旦讲究个所以然来，这么合理合法，就失去它本身的乐趣了。”

杨燚显然没听懂。

十七岁的许念念也不懂，她只知道在最坏的时机跟杨燚在一起是种冒险，但如果不冒这次险，放弃了一个这么可爱的人，那就对自己的青春年少没了交代。她要在未来的某年，坦荡荡地向全世界宣布，姐是早恋过的人。

高三的杨燚成了学霸，早恋没有成为他学习的拖累，反而成为促成他越来越好的桥梁，因为他心里的小宇宙告诉自己，高考不比升高中，他要跟许念念去同一所大学，同一座城市。不过学校可不懂这人情世故，每个人都已经入了厂装好零件，就不得分心必须按部就班，同一批次生产。那个时候，每天各科都会发一张卷子，密集到连眼保健操时间都得埋头做题，班主任知道杨燚跟许念念的关系后，三番五次干涉过，二模成绩下来，许念念和杨燚扬眉吐气地霸占年级第五和第十三名，于是老师也没了立场。

在高三，成绩就是为非作歹的免死金牌，杨燚把他和许念念的桌子搬到教室最后面，在旁边用一堆拖把隔开，弄得像给他们造了个结界，他还跟班主任签订“三不条约”，只要年级排名维持在前二十名，各科老师不得强行给他们发那么多模拟卷，不得干涉他们谈恋爱，不得耽误他们上课睡觉。这不平等条约摆谁面前都要七窍生烟，但他们的班主任居然默认了。没办法，班上所剩不多能上211院校的苗子，也只能睁一只眼闭一只眼。

高考倒计时一百多天的时候，许念念每天都能收到酒心巧克力，还用粉色的盒子包装好。杨燚知道后满肚子的醋，说这人怎么知道你喜欢吃酒心巧克力，许念念逗他，说你看看别人，既用心还这么洋气。杨燚气不过，花了一周的零花钱给她买了盒哈根达斯，说，看吧，这些都是我给你的爱。结果第二周就成了小白脸，捡许念念剩下的吃，坐在面馆里，操着嘶哑的声音说，“老板，给我来一份五分熟的韭菜盒子。”

穷也要穷得有档次，真是要跟许念念比一辈子。

后来，听路望的同学说，路望在家里吃酒心巧克力吃醉了。路望找过许念念，他说我送了你那么多巧克力，你都给我退回来了，就跟数学最后一道选择题我辛辛苦苦算了好几页草稿纸，结果ABCD里都没有我要的答案。我喜欢你这么久，明知道是死路，也还是硬着头皮走，马上就要毕业了，我觉得如果不再争取一下就永远失去你了。

许念念特别感动，换作是谁看见一韩系美男杵你面前撂下这番铿锵的表白都受不住，但她说，巧克力我没还回去，都自己吃了。但是，我只是把它当作巧克力，从初中到现在，我想我会一直珍惜酒心巧克力，不会戒掉的。

时间再一晃，高考结束，学校里狼藉一片，在漫天的书和作业本里，杨燚偷偷吻了许念念，说会一直陪她在身边。

在散伙饭当晚，他们四个人都喝醉了，路望醉后也不失态，像个刚出生的婴儿乖乖趴在桌子上睡着了，许念念大咧咧地招呼着她那一帮毒舌派帮众，杨燚则坐在位子上碎碎念，唯独一向文静得体的向语安在一边哭着瞎嚷嚷，她拎着半瓶酒晃到杨燚面前，说，我们四个一辈子都别分开，谁也别忘了谁。

她还说，路望的酒心巧克力，是我送的，我们初中的同学录上，路望最喜欢吃的零食，写的就是酒心巧克力。其实我挺羡慕你跟许念念的，爱恨都那么直接，或许我只能永远以朋友之名爱着他吧。四火，帮我保守这个秘密好吗？

当时晕乎乎的杨燚觉得向语安特别可怜，于是拼命点头。

向语安把半瓶酒仰头喝完，她说，再跟你说一个秘密，其实初三那年，你跟外教打架，老师把你换到许念念旁边，是许念念提出的，她真的很喜欢你。

拥堵的车流一点移动的意思都没有，许念念不耐烦地开窗朝外探出身子，再一看时间，满脸愁容。

“很赶时间啊？”杨燚倒是轻松，自在地把头枕在胳膊上，哼起歌儿来。

许念念没理会他，头始终朝向前方，偷偷用眼角余光看他。

“不然我们坐地铁吧，前面有个入口！”杨燚突然坐起来，指着前面那个“Subway”的牌子说。

“那是快餐店！”许念念被他逗得哭笑不得，“真有你的，你对得起清华学子的称号吗？”

“清华又没教我认识所有快餐店，以为都像你们厦大的这么洋气啊？”

杨燚话音未落，许念念脸就沉了下来，然后两个人面面相觑，话题到这里落入尴尬。

凝滞的时间又隔了许久，许念念开口说道，“其实我不是因为发烧才没考好的，而是我故意空了两道大题，为了能跟你一起去厦大。结果谁知道你小宇宙爆发，考上了清华。或许这就叫造化弄人吧，注定我们要经历一场漫长的异地恋。”

录取通知书下来，路望去了上海，许念念和杨燚南北各一方，比起活生生被拆散的小两口，更惊人的是，向语安其实没有参加高考，但仍然直升了广州的名牌大学，许念念和杨燚一度还觉得她是不是做了什么见不得人的事，后来才知道她爸是那所大学的校长。

自此，铁打的四人组四散天涯，终于要面临告别。

许念念去厦门那天，她坐在去机场的大巴上，司机迟迟没有发车，杨燚就一直在窗外守着，时不时上来嘱咐“每天都要打电话”“不许跟别的男生搭讪”以及“照顾好自己”。当时天气很热，他虚起眼睛站在阳光里一直没离开过，直到发车了，他塞给许念念一条手绳，然后跟着车跑，一直跑到跟不上车。

眼睛通红的许念念转过身，看见手绳上系着“天”“长”两粒珠子。后来杨燚说，这是他跟别人学了半学期才编出来的，其间偷偷摸摸去学校门口买一毛钱一根的绳子，趁大家不注意的时候在桌子底下编的，但编手绳这事实在太娘了，导致他做了好几晚的噩梦。

上大学后的杨燚成了全校的红人，成年后的他愈发精致帅气，加上打了那么多年篮球，身材出落得挺拔，光是双手做个向上抬举的动作，那肌肉线条也能让好多女生鼻血一地。在高二时学的吉他后来也派上用场，建立了吉他社，招揽了一群像中学时那么挺他的小弟。当寝室里的兄弟们还在为哪里有爱情动作片下载，如何打到游戏装备，怎么捯饬自己更受女生欢迎发愁的时候，他已经不屑这些世俗纷扰一边抱着吉他一边给许念念打电话，身后飞来无数弹幕，全是他的内心独白：老子不用看片，有老婆看，老子打网游成魔的时候你们还在玩超级玛丽，老子不用捯饬，每天早上被自己帅醒。

到了大二，杨燚参加的文艺活动越来越多，跟许念念一天信息发不了几条，晚上的电话还经常因为回寝室太晚而只能用“晚安”“早点睡”这样的说辞敷衍了事。异地恋最可怕的，就是在两个人抱不到的情况下，还剥夺彼此仅存的沟通权利，女汉子柔情起来就是片汪洋，更何况是许念念这样要命的女人，抓不到摸不着，脑补小剧场就开始播放，结果带来两个人恋爱后无休止的吵架。

最严重的一次是杨燚跟系上的同学一起去唱歌，结果酒喝多了躺在一个女生怀里睡着了，同学整蛊他拍下来发到了 QQ 空间。这位同学本来跟许念念没半毛钱关系，但当时翻遍杨燚空间、博客，像个私家侦探一样的许念念，还是不经意看到了那张照片。

杨燚他们有一个三十多岁的辅导员，但性格是个二次元的萌妹子，好用身体讲课，讲到狮身人面像，她就一动不动趴在讲台上，用印度普通话做解说；说到杭州西湖白娘娘，也要竖着俩手指假装施法来回转悠，当时全班同学都在笑，只有杨燚一个人面无表情，脸上好像写着“前方高能预警，12 点钟方向有个傻子”。

其实是他已经收到了许念念二十条短信，全是针对那张照片的，内容太恶毒不忍分享。下课后两个人唇枪舌剑，从教学楼到食堂再到寝室，从下午 5 点直接对呛到晚上 11 点，杨燚在吵架质量上比不过许念念，但在气势上略胜一筹，当他破罐子破摔大吼一句“老子就是喜欢抱着别的女人”之后，吵架气焰瞬间跌入冰点，许念念在电话那头安静了几秒，然后用一口非常欠揍的播音腔说，“好啊，那今后的路，祝你好好走下去，姐我在开车。”

许念念利索地挂掉电话，哭成狗。

到了 11 点半，寝室断了电，杨燚坐在凳子上，气得一边学北京话“你丫我丫”地骂一边把手机滑上滑下，屏幕光线一亮一灭地打在他表情皱成一张树皮的脸上。直到手机没电关机，屏幕暗了下来，他才突然停下手，好像意识到什么，骂了一声连忙冲出了寝室。

当时每个宿舍楼的电是由一个供电系统操作的，但每层楼分别有一个电箱，打开电箱重启系统就可以恢复该层的供电，但是电箱都会上锁，而钥匙都在宿管阿姨那儿。所以当时有胆大的男生会趁阿姨不在的时候，潜进她房间把钥匙偷出来。但杨燚一直特别正义，他说，“见过帅哥干这种苟且之事吗”，其实是自己胆子小，每晚断电后看到隔壁楼的夜夜笙歌也是各种羡慕。

情绪激动的杨燚到了楼下，发现宿管阿姨已经睡了，他看了眼时间，情急之下直接用灭火器把电箱给砸开了，电闸一合来了电，转身就奔回寝室充电。

在 12 点整，他拨通许念念的号码，响了好久对方才接，也不管她那声跟包租婆一样的“干吗”有多么不动听，杨燚都还是真心说了一句“老婆，生日快乐”。

于是两个人又和好了，女生都是这样，以为离开对她好的人，难过的会是对方，结果难过的还是自己。男生则不同，除非自己真的不喜欢了，否则无论怎样的打闹和离分，他都觉得一段感情不会真正结束。

杨燚砸电箱的事第二天就被文明检查部的人查出来了，说是要追究责任，给处分，当时杨燚差点就被背后捅刀的同学供出来了，最后是辅导员把这事儿压下来的。她说，杨四火同学平时都走偶像路线，这么简单粗暴的事他肯定做不出来，你们相信是他做的吗，我反正是不相信。

语气跟鲁豫似的。

杨燚当时觉得辅导员不仅心理是个低龄妹子，看来智商也是。结果后来她单独找杨燚谈话说，你跟你女朋友吵架，我在食堂都听到了，下次别用灭火器砸电箱，好歹用个扳手啥的，神不知鬼不觉啊。四火同学，要从根源上杜绝晚上奢侈用电，就白天多跟女朋友打打电话。

杨燚当时就想跪了，他觉得从中学到现在，没遇到过这么好的老师。

大四毕业期间，许念念跟妈妈商量去北京找工作，打算去个靠谱的外企，本以为能跟杨燚手拉手过上安稳的同居生活，结果他中二病又犯了，无故萌生出要当明星的想法，在同学们为就业奔波的时候，他只身跑去上海报名了某选秀节目，结果在初试还没见到导师之前就淘汰了，说才华太单一，就在他准备离开的时候，在报名处看到了路望。

后来他们以组合形式成功通过初试，杨燚弹吉他，路望唱歌，一个阳光帅哥，一个忧郁美少年，黄金组合，让众多少女春心荡漾，他们在四位导师面前唱了首一起写的原创，直接拿了通关卡。路望说，“这首歌是唱给我女朋友的。”杨燚当时就惊了，问他，“这些年，你有跟向语安联系过吗？”路望说“偶尔”，“她有跟你说些什么吗？”路望摇摇头。

杨燚突然很难过，当初四个人明明那么好，现在距离生生把这段感情拉扯成寒暄的客套。关于向语安的那个秘密，就让它永远成为秘密吧，不是每段青春故事都要圆满，你喜欢的人和喜欢你的人手拉手踏入夕阳红才叫爱情，那些起承转合不是大爷大妈看的黄金档剧场，有遗憾，才是生活。

后来他们还是没能进入决赛，那张被杨燚过于紧张而揉皱的通关卡，成了他送给许念念的最后的礼物。

许念念迷蒙地睁开眼睛，杨燚一张霸道的大脸杵在她跟前，吓得她不小心按下了方向盘上的喇叭，转头一看，长长的车队还是没有动静。

“有梦见我吗？”杨燚笑着问。

“梦见你跟路望在台上唱歌，你知不知道，你的和声都跑调了。”

“切，也不知道是谁说在电视机前哭成林妹妹的。”

许念念嘴角上扬，显然是掉在回忆里有些开心，但表情转瞬又冷了下来，她感叹，“转眼都毕业四年了，一切都发生得太突然也太自然了。”

“想想大学毕业时，居然没有一点伤感，这是让我最伤感的地方。或许是潜意识在告诉自己，终于等到你来北京找我了吧。”杨燚接过她的话。

但许念念到这里就语塞了，表情愈发凝重，也正是在这个时候，前面的车子动了起来。

“出了前面的路口，就到山脚了。”杨燚说。

鼻子传来一阵难惹的酸涩，许念念的眼睛一下子就红了。

那段记忆要怎样才能抹去呢。

就像电影里的主人翁得了脑退化症，慢慢忘记了很多重要的人和事，最后死去时闭眼的几秒就跟刚出生时睁眼的几秒一样，完成一个轮回，什么都带不走留不下，好像也挺好的。

小巷子越来越通畅，许念念踩了把油门，车速快了起来。

杨燚把袖子撩起来，露出手腕上的手绳，上面挂着两个珠子，写着“地”“久”。

许念念再也忍不住，眼泪像开了阀门止不住地流。

“又哭了，不是说好不哭了吗？”杨燚说。

许念念哭得更厉害，手扶着方向盘，身子抽搐起来。

“我陪着你呢！”

“我喜欢你啊！”

“亲爱的许念念同志，永远不要忘了我啊！”

许念念哭得已经听不见杨燚的声音，车头偏到了逆行道上，直到看见来向行驶的车，她才从虚晃的意识中回过神，猛地转动方向盘。

再一抬头，凤凰山就在前方。

她停好车下来，已经走了几步才想起买好的菊花忘在车里，于是折返回去，副驾上已经空空如也。

她咽了团口水，伴着呜咽，胸腔止不住起伏。

许念念穿着那身像是杨燚最爱的无脸男黑色风衣，手里捧着白色菊花，在灰蒙蒙的墓碑间穿行。来到台阶最高处的时候，看见路望和向语安站在不远处等她。

许念念把菊花放在墓碑前，看见照片上满面笑容的杨燚，回忆像电影里的蒙太奇，迅速将自己抛回那忘不掉的青春里。

直到停在四年前，许念念第一次去北京，掩饰不住的兴奋，她仰着长长的脖子，看山看水，看高楼，却没看到身边开来的车。

不过杨燚推开了她。

后来许念念整理书柜的时候，听到一堆杂物里有音乐声，费了好大的力找出来，才发现是杨燚当年送给她的那张圣诞贺卡，过了这么多年，生日歌还在放着。

她想起那个时候杨燚苦于如何跟她表白的滑稽样子，就觉得特别好笑。

因为时间久了，贺卡中间的黏合处开裂，她发现原来还有一个夹层，从里面掏出一封杨燚写的信：

亲爱的许念念同志，作为曾经势不两立在各种战场血拼过的战友，如果你能看到这封信，那我向你的智商致以崇高的敬意。有时我会想，我们明明是见面就互骂，特别见不得彼此好的人啊，但为什么现在会有种期待感呢，我好期待我骂你一句后你会回什么，期待我们再比一项东西我输给你后你那得意扬扬的样子，期待你今天会走哪条路，校服里面会穿哪件衣服。慢慢地，我就想迫不及待在人群里找到你，但后来我发现，不用找，我一眼就能看到你。我不知道你能不能看见我，不能，我就当你近视。我是觉得有些话现在不说，或许以后就没机会了，我杨燚虽然有四把火，但从来没烧旺过，但遇见你之后，给了我好多动力，让我今天能有勇气对你说这些话，我想一直陪在你身边，比到老，吵到老，我想跟你共用一个户口本，我想跟你生好多孩子。当然，你看完这封信也可以永远都不理我，我有心理准备，不会怪你，只是希望今后能有一个像我这样的男孩，帮我照顾这样一个女孩，习惯她的毒舌，要经常给她找骂，她喜欢吃酒心巧克力，她晚上怕黑，她有一个自己的小宇宙，她有一个亲得像姐妹的妈妈，还有一个超酷的老爸，不过先去宇宙里给她开路了，她阴晴不定喜欢皱眉，她吵架的时候会引用很多比喻，她理科好，她很有冲劲儿，但一个人不行，别让她孤单。

亲爱的许念念同志，我喜欢你，革命尚未成功，四火仍需努力。

2006 年 12 月 24 日

每个人的青春其实都是一本精彩的书，残酷的，悲伤的，幸运的，幸福的，要说尽其中的遗憾，怎么能用几句话说得清。只是那时的我们啊，以为只要对饮一杯酒，一起吃一碗三块钱的面，就可以永远。后来才发现，时间是永恒的敌人，永远跟有没有勇气没关系，跟牵了多久的手也没有关系，它能给人无穷尽的生命，也能给两个人最长的距离，能让你忘记所有快乐的细节，却偏偏记得痛是多么刻骨铭心。

只是后来我们绕了很多圈，却再也没有遇见那个能跟我喝酒、吃面，亲我会脸红的人了。

我们一起追过的剧里，江直树是真的爱着袁湘琴，李大仁是真的爱着程又青，志明是真的爱着春娇。

但愿你别忘了，那时的我，是真的爱着你。

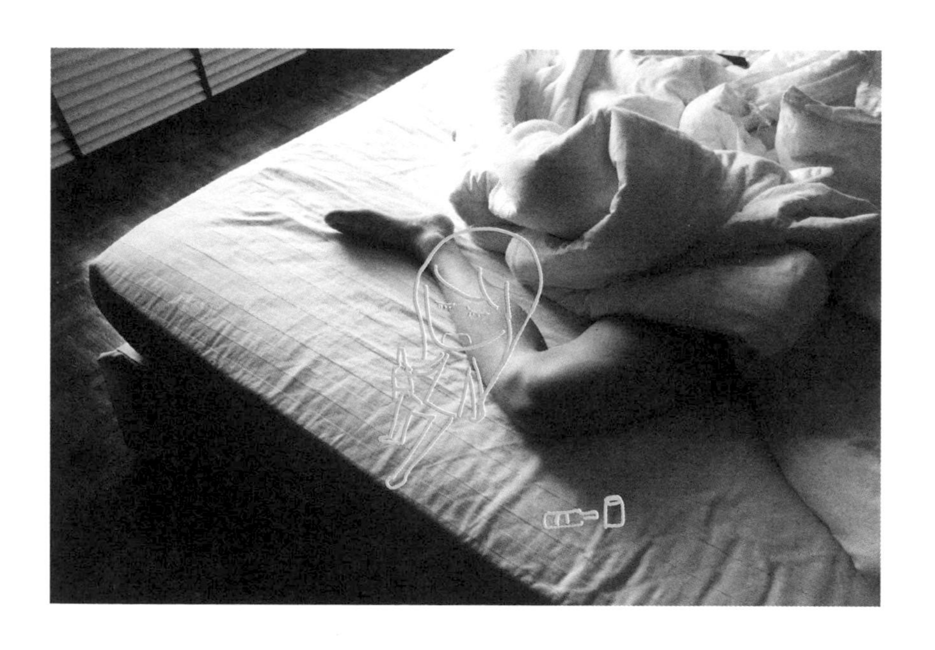

无醉～不欢

网上热过一段句子，说人一生会遇到约 2920 万人，两个人相爱的概率是 0.000049，所以你不爱我，我不怪你。虽然不知道这个概率是怎么算出来的，但这句话能提炼出两个中心点，爱很难啊，爱也很贱啊。

即便这样，都会男女们还是拼命在世界中心呼唤爱，只求能遇见对的人，一个萝卜蹲一个坑。但其实吧，所谓对的人其实都很唯心，遇见了，说他是，他就是。

这不，上帝秒表一按，距佟菲遇见她的 Mr. Right 还有五个小时。

佟菲何许人也？江湖人称“菲哥”，倒不是说她女汉子，好歹她也有一头天生柔亮的长发，小脸媚眼，讲话奶声奶气，乍一看还像幂幂，而是她天生自带气场，这归咎于她从小就是女子田径队主力，跑步跑出了一个衣服架子的身材，一条八十块的 H&M 裙子穿身上，也够资本让那些时尚博主为其发篇通稿，没有所谓隐形皇冠，不毒舌也不女王，就是干练，偶尔逗比，男女都喜欢的那种顺眼缘的女人。

佟菲咬着一块吐司面包，拉开背包，分别装进了以下东西：相机、DV、笔、本子、皮尺、温度计、秒表、噪音测试仪。放心，轮不到她当装修工人，她的职业很特别，叫酒店试睡员，工作任务就是睡遍全世界的酒店，像个卧底一样不断变换身份，测量酒店一切数据，大厅香水味道，电梯位置是否方便，洗手间毛巾的条数，花洒出热水的速度，客房床单的干净度，插座的位置和数目，是否能上网或有无 wifi，这些都被记录在她的 DV 里。作为专职试睡员，佟菲每月住满十几家酒店是家常便饭，拟定试睡专题，给供职的旅行网站上交超长视频，再跟着几千字的详细评价，要求不低，不过待遇丰厚，工作又让人羡慕，倒也累得其所。

她这次来台北，是为了体验当地最负盛名的情趣酒店，为此刻意跟男闺蜜范范取经把自己打扮成一个合格的“骚浪贱”，抓着个香奈儿小香包，在镜子前甩了甩头发，准备全身心融入这座以嗲闻名的城市。

此时距佟菲遇见她的 Mr. Right 还有四个小时。

其实佟菲还有一个外号：分手大师，不是邓超那种，而是被分手的大师。说来也奇怪，作为菜场上色香味最好的那棵菜，为她流连的男人不断，但就像过去武侠小说里命犯孤星那样，所有恋情都短命。

初恋在高一，对方是班长，难得学习成绩跟长相成正比，好了两个月，分手是因为她忘了给 QQ 情侣空间上的小树浇水，班长说她太自私，不会维护爱情。

第二任在大三，同个社团认识，强度直男癌患者，不允许她跟除他以外的男生讲话，不允许她化妆打扮，烫发染发，约等于慢性囚禁，但佟菲是真的爱他，忍气吞声的结果是男生认为自己一切妥当，所有不对的都是佟菲，于是跟隔壁专业的好上了。

第三任就在第二任分手后的一个月，酒吧玩嘴撕纸游戏好上的，富二代，对衣服特别有讲究，经常买各种女装给她，佟菲还欣慰终于找到了一个不是直男癌患者了，结果后来发现一半的女装都是那男生自己在穿。

第四任在工作第一年，他说，我们星座不合，分手吧。佟菲特别憋屈，你一个处女座有啥资格说星座不合的。

第五任是异地恋，热恋时两个人你侬我侬，后来男生工作走上正轨，越来越忙，维持异地恋的基本沟通少了，就开始出现裂缝，佟菲觉得自己爱他更多，当一个人开始计较为对方做了什么的时候，这段关系离结束不远了。结果当然是男方提的分手，只是佟菲这次最难过，毕竟这是她恋爱历史用时最长的一段了，而帮她疗愈情伤的是她的第六任男友，同是酒店试睡员的葛成宇。

说到这个葛成宇，必须要用大段篇幅来讲。他们初识的时候是欢喜冤家，这个男人比佟菲小三岁，但说起大道理来比她爷爷还老成，他就像一台移动的中央空调，若是那些爱喝鸡汤的妹子，那绝对是温暖到心坎里，但营养过剩的佟菲对他免疫，听他在耳边叨叨，那简直是在大冬天制冷，丧心病狂。

虽然做试睡员没多久，还挂着兼职，但葛成宇的业绩令人咋舌，同是评价，他的点评能让人笑坏肚子，篇篇觉得都是良言金句点三十二个赞。最气人的，不仅工作好，葛成宇长得也挺替天行道的，个儿高，说话又温柔，公司女同胞都爱他，为数不多的男同胞为了追女同胞也爱屋及乌，于是佟菲在公司的“菲哥后援团”面临土崩瓦解。从小到大，跑步跑了无数奖杯奖状，除了爱情不顺，就没输过，因此佟菲特别不待见他，常以自己的老资历来压他。

当佟菲收好 DV，准备给一家酒店好评的时候，葛成宇说，这酒店最多只能给 4 分（一般来说 5 分为总评分），她忙搬出包里的一堆工具辩解，房间温度 25℃，湿度约 40%，热水在 15 秒以内达到了 46℃，噪音又小于 35 分贝，这酒店全部及格。葛成宇则自动过滤她的话，不紧不慢地光脚在房间里走，他说，工具都省省吧，地板干净与否，房间温度适宜与否，浴室地面是否有足够的防滑度，脚底板是最好的测试仪，我的脚告诉我不舒服。

他抬起脚，脚心沾着几根头发。

佟菲他们的旅行网站内部有个代号机制，方便后台记录业绩，比如她的是 325，葛成宇是 1214。范范作为一路看着佟菲被甩的知心“姐们儿”，自然不爽葛成宇这嚣张气焰，他嚷嚷着，1214，碰上范爷我，你要死！不就是长着一张酷似彭于晏的脸吗，哥我不吃荤。于是背地里做了很多小动作，比如买水军在葛成宁的点评里恶意差评，雇黑客修改后台试睡员的绩效，比如为了掌握这台中央空调背后的故事，终于牺牲色相打入敌军内部。结果一个月过后，他负荆请罪，说，哥输了，再跟他作对，我就要爱上他了，你知道他有多恐怖吗，他不抽烟不泡吧，不工作的时候，他的业余爱好竟然是做菜！我已经完全阵亡在他做的松鼠鳜鱼里了，不止这些，他工作赚的那些钱竟然还有一大半是给公益组织的，这不是常人的生活习性啊。最关键的是，有一次在游泳池看到他穿着三角内裤出来，彻底被他的胸肌和肱二头肌闪瞎了，他一点都不酷似彭于晏，他就是彭于晏。

范范全然不能自持，沉浸在美好的幻想里。佟菲一人孤军奋战，惹不起躲得起，结果在该死的墨菲定律下，他们经常被绑定，大到被分到一家酒店，小到去麦当劳借个厕所，也能来个偶遇。

最无奈的一次是他们被共同分到一家丽江的客栈。两个人装扮成驴友正常入住，客栈设施陈旧，房间小，但还算干净。当晚客栈里都是欧洲人，他们两人的房间隔着一个老外，那个老外特别好笑，分不清亚洲人长什么样，刚见到佟菲时想约去酒吧，被佟菲拒绝。过了一会儿，佟菲拿着DV在走廊偷偷记录时，又碰到那个老外，不过是把长发绑了起来，换了件T恤，那个老外就认不出她了，第二次搭讪，又被拒绝。第三次是佟菲从外面回来，看到老外坐在客栈门口喝闷酒，佟菲不好意思地打了个招呼，老外试探性地问了句，约吗？佟菲面露尴尬，只听老外说，别说了，我知道答案，加上你今天连续被三个亚洲女孩拒绝了。

佟菲哭笑不得，可怜也是他最可怜。

原本还有点同情，结果晚上佟菲洗澡的时候，醉醺醺的老外不知道靠什么蛮力直接到了她屋里，他扭开厕所门的时候，佟菲正闭着眼睛冲掉脸上的洗面奶，直到看到老外整个人贴在浴室玻璃上，佟菲才叫得失了声。葛成宇冲进来，不由分说地跟老外干了一架，还被老外一拳误伤打青了右眼。

出于感激，佟菲请他吃夜宵，还成功灌了滴酒不沾的葛成宇两瓶啤酒，可能是遇见一个能保护自己的男人，佟菲身体里藏着的小女人荷尔蒙急速分泌，借着酒劲，泪眼蒙眬地聊起她之前多段失败的感情。听完她的故事，葛成宇开始讲鸡汤，大段的话中，佟菲只能依稀记得几句，他说，爱一个人的时候，多巴胺分泌旺盛，我们都会不自觉地把对方完美化，但最后真正在一起了，就会发现对方身上漏洞百出，累感不爱。择偶靠来电，但恋爱，必须要靠信任啊。

佟菲也是在那晚，被身边的这个男人，电了一下。

出租车路过台北101大楼，这时佟菲的手机响了，提示收到一条新微信，点开发现是前任发来的，想也没想就删了，按下锁屏发了一会儿呆，又滑开手机，关掉了wifi。

台北街道随着一栋栋鳞次栉比的建筑飞速向后退，电台里适时放起李宗盛的《漂洋过海来看你》，突然过去种种画面散落在眼前，经历的分手多了，就会留下这样的后遗症，忙碌时没空多想，只要一给自己放空的时间，就会不自觉缅怀过去，回首插过红旗的分手制高地，觉得自己要多惨有多惨。

佟菲心里骂了自己几句，立马让司机换了频道，换成王彩桦的

《保庇》。

嗯，这样才对，伴着节奏，佟菲晃起身子。

此时，距离佟菲遇见 Mr. Right 还有三个小时。

从丽江回来没多久，佟菲就跟葛成宇在一起了。但鉴于公司规定，不许有恋爱关系的人当试睡员，于是他们默默选择了地下恋，就连最亲密的范范也不知情，佟菲生怕因为抢了他的男神最后范范跟自己反目，她一直觉得范范在今年生日许愿祝自己早日成为一个不要脸的心机婊，是真心许的，姐妹撕起那什么来着，宫斗戏已经示范过，更何况，对方还是带把儿的，战斗力得乘以二。

别看葛成宇平日里劲儿劲儿的，但恋爱后的他，变成了一个忠犬系男友，对佟菲那叫一个好，佟菲说一绝不二，佟菲爱吃烤肉，他就负责吃菜叶，在家里吃饭，他就变身大厨讨好佟菲的胃，从买菜到刷碗一条龙服务。他们恋爱一个月后同居，上班假装陌生，下班在约定地点牵手回家，两个人常被催稿，于是互相打气，共同制定作战战略如何说服老板让他们去同一个城市工作。可能是之前宅家太久，佟菲免不了整蛊他，葛成宇在半夜会习惯帮她盖被子，于是她就经常假装睡着把被子踢开等着他盖，还说石榴连着籽一起嚼着吃最好吃，葛成宇学她，结果把牙齿崩坏惨去牙科补牙，葛大厨的菜吃多了，佟菲就刻意嫌弃他厨艺没长进，气得他鼓起腮帮子，抢走盘子，说他要全吃了。他有事没事还爱强吻佟菲，于是佟菲就把芥末涂在嘴唇上……

总之就是无下限地秀恩爱。

都说了，恋爱中的女人智商为零，而男人，应该就为负了吧，或者说句好听的，有萌点的男人敢在女人面前显原形，而不是只有型。

在他们恋爱一年后，葛成宇终于破了佟菲的分手魔咒。佟菲认定他就是那个 Mr. Right，葛成宇也这么以为。一次北京的外派工作，正巧赶上佟菲的生日，除了常规的生日礼物外，葛成宇还准备了一枚求婚戒指。

那是北京一家四合院精品酒店，设计非常别致，每个房间的家具和装饰都不一样，听说他们要入住的房间，有一张两百多年历史的古董酸枝大床，价值过千万元。葛成宇洋洋得意，觉得自己这辈子唯一的求婚价值连城。

当晚，葛成宇跟四合院里的住客套好口风，在佟菲不知情的情况下，大家一起拿着酒瓶唱起生日歌把她围住，葛成宇推着蛋糕出来，戒指就藏在里面，结果酒喝完了，蛋糕也吃完了，也不见那枚戒指。

葛成宇醉得哀叹了一晚上，刷个牙都丧气得牙刷不动头动个不停，蠢萌得要命。

本以为只是破了财，没想到还惹祸上身，赶上了一场鸿门宴。那晚之后，全公司的人都知道了他们的关系，甚至他们借职务之便出差同住的事也被捅出，原来那晚在四合院里的短发中年女是他们公司新来的上司，从下派这次工作到亲自卧底取证，都在她的计划之中。

中年女上司叫林娇，说句得罪人的话，感觉但凡名字里带“娇”字的，要么是真的小女人涉世未深，要么就是一脸坏相的常年反派女一号。林娇属于后者，新官上任三把火，佟菲和葛成宇以为会彻底引火上身，没想到林娇没炒他们鱿鱼，反而给他们升了职，佟菲成了某项目的领导，葛成宇升为专职试睡员，归林娇管。

就知道这女魔头准没好意，佟菲带的是个烂尾项目，酒店数目的绩效考核没达标，客户铁定付不了尾款。那段时间葛成宇被林娇盯着根本分身乏术，为了争口气也为了避嫌，佟菲跟葛成宇达成一致暂时保持距离。项目下的试睡员都不靠谱，于是佟菲自己上，一个月内连续睡了二十家酒店，待在家里不超过三天，每晚都写稿子写到凌晨，可是再拼命也难赶上进度，几近崩溃时，邮箱收到几个未完成的酒店评价，那犀利的文风，一看就是范范写的。尽管范范知道他俩的事后闹过脾气，但关键时刻还是姐妹给力。

佟菲把结案给林娇后，本以为雨过天晴，结果另一个同事半路接手，所有成果全部转嫁他人。后来她才知道，那个同事是林娇的亲戚。

更震惊的是，佟菲终于可以安心回家跟葛成宇相聚的时候，看见林娇的车停在楼下，葛成宇下来后两个人举止亲密，有说有笑地上了车。事后葛成宇承认林娇对他示过好，但自己绝对一心向明月，纯粹把她当领导，绝无半点私情，不过佟菲不买账，这些年做试睡员的敏感加之一个月以来的压力，让她彻底崩溃，第一次跟葛成宇吵架，搬出了他们的房子。

最后还是范范收留了她，毕竟是个男人，看着女人落难，别扭都得翻篇。手机安静了一晚上，佟菲气不过，躺在床上拉着范范一起骂葛成宇，其间聊到范范救急发来的评价，他诧异道那时候生气都来不及，哪会雪中送炭。佟菲这才领教到自己的荒唐，一敏感就给自己加戏，忘了对方的好，于是连夜赶回葛成宇那儿，结果敲门没人应，用钥匙开了门发现里面没人。

葛成宇说是那晚陪林娇去见客户，喝多了林娇就给他开了个酒店，但从同事那里，又听说那晚他们是一起睡的。佟菲一贯的奶声也终于变了调，质问他，女朋友搬走当晚就跟别的女人在一起，以前不喝酒，现在这么爱醉，你一个试睡员，成了陪睡员，要不要脸啊。葛成宇也无奈，说他眼里的佟菲不是这么无理取闹的人，结果一语成谶，经历了这么多次分手，她真的学会了太多无理取闹，辩论终于变争吵，讽刺胜过妥协，佟菲第一次提出分手。

出租车开到酒店楼下。

这是一家汽车旅馆，据资料说，这家旅馆隐私保护做得很好，每个房间都有一个独立的车库，可以直接从酒店大门开到房间，从在前台办理入住到房间全程完全不用露脸。佟菲独身一人用不着那么偷偷摸摸，于是中途下了车，结果当场就脸红脖子粗了，整个大厅覆盖着深紫色的丝绒，灯光幽暗，从天花板垂下的吊柱上悬挂着各色情趣用品，而就在前台后面的公共区域，有一个旋转木马，几对男女正在喝酒调情，更有甚者，一前一后贴着亲得欢脱。

虽然见过不少大世面，但这么直接的夜店风，让佟菲一下子局促起来，办理入住的时候，前台的小伙还再三确认她是不是一个人，她把胸一挺，故作风流地说，“不，朋友晚上来。”

无比标准的台湾腔，她给自己点了个赞。

前台说她订的“秘密花园”主题房还没有打扫完，暂时办不了入住，职业病一犯，佟菲心里画起叉，无奈之下，她坐在大厅的紫色沙发上休息，在这种触目惊心的地方一闲下来满脑子又涌上玛丽苏情绪。后来那几个台北男女过来请她喝酒，才知道原来是三对新人的蜜月酒局，不知哪根筋搭错线，佟菲真跟他们去了，坐上旋转木马，端着香槟杯，在紫红色光线下仰头喝起来。本来还舒缓的纯音乐，随着她的加入，音乐换成欧美舞曲，且越来越大声，她心想，真当自己是夜店啊，回头一定要给这家酒店差评。

她又猛灌了自己一口酒。

此时，距她遇见自己的 Mr. Right 还有一个小时。

分手后的佟菲重回那片她熟悉的阴天，明明是自己提出的分手，但比之前被分手更痛，不是说两个人拽一根皮筋，晚松手的那个才会疼么。那段时间，范范都陪着她，要喝酒陪她喝，要去 KTV 鬼哭狼嚎，就陪她把嗓子吼哑，还学网上的偏方，给她一个纸袋子舒压，佟菲没吐两口气就哭了，她觉得自己好狼狈，在这扮演楚楚可怜，葛成宇应该抱着美人享受新恋情了吧。

其实葛成宇找过佟菲，但都吃了闭门羹，忠犬丢了主人，他忧郁过好一阵子，但林娇都陪着他，这个女人的聪明就在于，示好之后，不急于求成，没有半点侵略性，在其最脆弱的时候，以安慰鼓励来洗脑对方神经，攻其不备，乘人之危。

在这只忠犬的天平就快要倾倒的时候，佟菲在一个日本酒店被人禁足了，起因是她为了测试酒店服务员态度，刻意一天入住穿得像个女星，一天入住又像是刚从菜市场回来的摔跤选手，看看所受到的服务是否有明显不同。结果服务没感受到，倒是被前台认了出来，好巧不巧，这家酒店是当地黑道的分部，几个人围住她，翻了她的行李，一看这么多“作案工具”，不知出于什么目的抢了她的手机，把她关在了酒店房间里。

佟菲一百万个委屈，她不过是一个试睡员，想把打了 5 分全好评的页面给其中那个看着像领班的胡子男看，但对方喋喋一通完全不买账。

最后还是葛成宇破门而入，拯救佟菲于水火，听说是那帮黑道错把佟菲误认为是背叛他们老大的女人。这事儿之后，葛成宇开玩笑说，看不出来，你长得还跟人黑道大嫂一样啊，怪不得现在脾气这么大。也是怕的，佟菲惊魂未定，猛灌了几瓶酒下去，一句话也不说，没一会儿就喝挂了，嚷嚷着没醉，说还会背圆周率呢。葛成宇对他说，我真的不喜欢林娇，3.141592653……佟菲开始背。今后让我继续保护你好不好，葛成宇说完，佟菲就背哭了。

对了忘记说，葛成宇是怎么找到佟菲的，是因为佟菲发现房间的智能电视可以发微博，感谢这个伟大的自媒体时代，以及敢为人先的小日本。

两个人复合后又住回一起，继续挥霍着最宝贵的热恋期荷尔蒙，但是他们彼此都心照不宣，很多习惯，哪怕跟之前一样；很多菜，哪怕还是那个味道，但好像有什么变了。两个人在一起，就好比玩网游，“喜欢”会消耗红，红没了，大不了一拍两散，而“爱”是一件需要消耗大量蓝的事情，一次就用完了蓝，就再也发挥不了魔法了。复合的恋人，好像就失去了魔法的能力。

尤其是林娇正式跟佟菲立下战书，没有分不了的恋人，只有不努力的小三，但她答应佟菲，不会使用任何不作为的手段，因为她要让葛成宇真正爱上她。

越来越敏感的佟菲再次陷入惶恐，噩梦都是林娇那张娇媚的脸，半夜惊醒后见葛成宇背对着她，一股从心底顺着喉头侵袭的委屈，让她全然没了安全感，她用力地贴住他的后背，偶然摸到他枕头下的手机，挣扎了一番，还是点开他的微信，发现他删了跟林娇的聊天记录，又进到她朋友圈，看见不久前，她发了一张戒指的照片，后面的背景是当初那个她过生日的北京四合院，下面的系统提示，她专门提到了葛成宇来看。

然后她刷了一遍自己的朋友圈，并没看到林娇的这一条。

她是分组发的。

佟菲心里翻云覆雨，锁上手机，跟葛成宇分开，转过身咬着被角哭了。是这样的，女人那些莫名其妙的自尊倔强和敏感，会让更年期提前，满身妇科病，做酒店试睡员要一切巨细无遗，那放在爱情里，同样不放过任何蛛丝马迹。

只是佟菲不知道，那枚戒指是葛成宇给她的，后来葛成宇回到那个四合院酒店问过很多次，都没人再见过那枚戒指，本以为这会永远是一宗无头公案，但被林娇找到了。

她说，我见你来过这家酒店好几次，应该不是工作，是来找它的吧。如果我说，我是在我们第一次遇见的时候捡到的，你会不会觉得，它应该是属于我跟你的缘分呢。

那也是他们第一次以朋友身份彼此推心置腹，林娇说，她以前是中国最早的那一批酒店试睡员，当时条件没现在这么好，寂寞了还能聊陌陌追美剧，常常是一个人到处走，一个人坐飞机，一个人逛城市，一个人办理入住，一个人睡觉，一个人看风景……这些习惯了倒还好，她最头疼的问题，是一个人吃饭，点多点少都不是，看着别人成双成对，自己对着一桌的食物，那时就觉得，要么应该有个人坐在对面，要么自己就不应该坐在这里。

“当试睡员之前，我就二十岁出头，跟我第一个男朋友好了五年，那时年轻，我不知道想要什么，也不懂珍惜，闷着头做自己的事，后来男友跟我一特好的姐妹儿在一起了。我不怪他们，因为我突然发现我长大了，知道了想要什么，也知道了什么不能做，比如再去想他，我得考虑更多，我要幸福，比所有人都幸福，所以我必须更强势，因为我值得这一切。”

葛成宇看着光影里的林娇，卸下那一身精致后，留下的跟凡人一样的血肉，冷的时候需要人为她添一件衣服，热了要人牵着她冲进灌满冷气的商场，她一个人那么久，其实根本不行。

葛成宇对她说，我不会再让你一个人了，林娇看向他，他接着说，我会帮你的，你不能老颐指气使高高在上，也要接接地气，幸福是需要自己去争取的。我带你多认识点朋友，佟菲她那个闺蜜范范，身边可多好男人了，我别的本事你瞧不上，讲道理给别人洗脑是专长，分分钟把你推销出去。

林娇落魄地收回眼神，别过头沉默半晌，几秒之后摇了摇头，无奈地笑出声来。

距佟菲遇见 Mr. Right 还有十分钟。

前台的小伙告诉佟菲房间好了，她意犹未尽地从旋转木马上下来，临走时想塞些新台币给新人们付酒钱，但他们执意不要，只好用祝福代替。她摇头晃脑地拿起香包上了电梯，房间在四层，但感觉坐了好久。

葛成宇生日，佟菲瞒着他做了一大桌子菜，都是平日里葛成宇给她做的那些，虽然色香味差了好大一截，但至少在佟菲被油溅的尖叫声声里，注满了爱意。结果葛成宇因为带林娇去见范范介绍的一个清华男，难以脱身，到家后饭菜都凉了，不过佟菲一反常态没有半点别扭，把他按在凳子上，看着他的眼睛，重复唱起生日快乐歌，边唱边鼓掌，节奏越来越快，表情滑稽无比特别到位。葛成宇有些难堪，笑不出来，一直念叨着“好了好了”。不一会儿来了一条微信，他滑开手机，是林娇发来的，她说，听你的，去争取争取。葛成宇露出一个满足的微笑。

然后佟菲掀了桌子。

电梯门打开，中庭有一个按摩泡池，旁边绿树遮掩，所谓“秘密花园”就是这般小桥流水的私密感。佟菲已经迫不及待要去房间看看，突然身后有人叫她。

此时，距她遇见 Mr. Right 还有七分二十秒。

电影里的爱情，都喜欢给主人公一个好的结局，因为想告诉大家，好像有爱，就一定能长久一样。但这可不是我们的生活啊，从喜欢到愿意共同面对生活还是有很长的一段距离的。我们的生活，需要为五斗米折腰，灾难频现，要经得起时间考验，还不能放任自流，随时要踩死一只只小强以及小三小四小五，明明那么辛苦，最后，你还得说一句，爱情该走下神坛，要走向最普通的生活。确实，当你身经百战之后，再经历这些，就会觉得太微不足道了，这些连年征战就是你的油盐酱醋茶。

又是几次分分合合，佟菲终于累成狗，成了二次元宅女，范范看着她一副要死不活的样子实打实地心疼，他搬上来一箱子酒，坐在她身边，操着那尖利的嗓子骂她，说认识你这么久，没见你这么死作过，明明爱到不行，偏偏就难说出那一句“我爱你”，兜着圈子猜对方心情，让对方猜你心情，葛成宇就是一根筋你又不是不了解他。范范把自己灌醉，掏出葛成宇的戒指丢给她，说，这是他找不到你，叮嘱我交给你的，一定是之前被分手太多，已经被分出绝症，没救了你！

佟菲拿着戒指愣神，思绪如潮水翻涌。

距她遇见 Mr. Right 还有五分零五秒。

佟菲回过头，原来是刚刚的新婚男女，其中一个男生拿着噪音测试仪，问她，是你掉的吧。佟菲大惊，脑子稍微清醒了些，接过测试仪尴尬地道了谢。

后来葛成宇辞了职，没告知任何人，开始了全世界的旅行。

佟菲最爱看的一部日剧《求婚大作战》里，女主角有一段这样的台词，她说：我的身旁总有岩濑健，我的回忆里也总是岩濑健的身影，健的温柔总像无意间在哪绕了点路，要稍稍慢一拍才会传达给我，如今的我才能慢慢察觉到那份笨拙的温柔，当时的自己总是无法那么坦率，害怕被伤害而没能坚持到最后的人，是我；没能相信健的温柔就中途放弃的人，是我；决定单方面闭上眼睛就不再回头的人，是我；健一直在认真地投球，没能好好接住的人，是我。

她边看边哭，当时她就想，如果被她遇到一个像健一样的男人，她一定会好好珍惜。但后来遇见了，却自己放手了，这台中央空调，被她弄得几近破损，她不敢再碰了，只想把最好的他还给他。

她变得有些抑郁，跟着几个有信仰的朋友做过祷告，甚至一度徘徊在心理诊所门前，犹豫要不要进去，最后那一刻，拉走她的不是别人，是林娇。

林娇挽着自己的新男友，挑了个咖啡馆，她说在葛成宇跟她的对话里，十句有八句都会提到佟菲的名字，她知道自己一开始就输了。葛成宇是一双很舒服的鞋，很多女人都想穿，但鞋合不合脚，只有脚知道。道别后佟菲上了出租车，回家途中收到一条飞往台北的机票信息，不一会儿林娇的微信发来，她说，那双鞋跨年在台北，你想不想穿，自己决定，只是你要知道，现实无法倒流，没那么多机会给你重来。

距佟菲遇见 Mr. Right 还有三分零三秒。

天色渐晚，佟菲带着一身酒气进了房间，大概环顾了四周，除了那张大到可以四个人平躺的床，旁边还有好多情趣用品，她认得那个椅子，叫八爪椅，她醉醺醺地在上面试坐了一下，靠着椅背傻乎乎笑了起来。

2015 年，飞机落地台北。

台北雨季，已经连下了三天的雨，佟菲披着一件单薄的外衣坐在出租车上，熟悉的 101 大楼已然被雨水淹没。

她手上戴着戒指，但不是葛成宇的那枚，这是跟葛成宇分开后的第三年。她马上要结婚了，新郎不是葛成宇，在结婚之前，觉得该只身一人过来一趟。

林娇给她的那张机票已过期，她没去台湾找他，只在冬至那天，给葛成宇打了好长一个电话，他们一起回忆当初的相遇后来的相知，聊起一起住过的酒店、看过的电影、吃过的菜，她还给他放李宗盛演唱会的现场录音，说她自己去的，哭了一整场，那些歌词她竟然都听懂了，说原来他们已经这么老了。末了，问他过得好么，葛成宇声音很平静，佟菲沉吟半晌，她说，希望你过得好，但不要让我知道。

这一次，她没有奢求复合，因为从她拨出电话号码的那一刻，她就知道，自己即将正式经历一场告别，这是他们最后一次分手。

结局谁都没变坏，要叹只是叹时间，把他们变得跟那些男男女女一样，爱到一半，道谢散场。

距佟菲遇见 Mr. Right 还有零分零秒。

佟菲被房间刷卡的声音惊醒，她竟然靠着八爪椅睡着了，见灰暗的走廊里出现一个男人，她心头直跳，腾地站起来质问是谁。那个男声说，你又是谁，怎么会睡在我房间。佟菲狼狈地抓起自己的香包护住胸，大吼，搞错没有，这是我订的房啊。

那个男人开了灯，露出一张英俊的脸和挺拔的身子。

一看是个帅哥，佟菲气焰弱下来，长得好就是这个世界的通行证，只是没想到手一软，包里的卷尺、温度计通通掉了出来。

原来是同行啊，那个帅哥说，可能是酒店把房间搞错了，单凭这点，就可以给差评了。他自顾自地脱了鞋，光脚踩在地毯上，经过佟菲身边时，捏起鼻子说，我最怕闻到酒味了，干这行的把这种味道带到房间来，会影响判断的。还不忘指了指佟菲掉到胳膊上的纱裙带，嗯，服装很到位。

你谁啊，说话这么不好听？！佟菲瞪着眼睛问他，他没搭话，自顾自地在两分钟内评价完了整个房间以及佟菲这个人，她受不了这聒噪，很想看看噪音测试仪。

最后他弯腰捡起地上一张旅行网站的名片，上面写着，佟菲，编号 325。只见他笑了笑说，幸会，我是 1214，葛成宇。

画面定格，墙上的电子日历写着，2011 年 5 月 6 日。

佟菲来到十字路口，汽车旅馆就在对面。雨越下越大，裤脚已经湿了大半，耳机里的歌都被雨声覆盖。

绿灯时间很短，她低头穿过马路，却和来向的一个男人撞上，她往右，他也往右，这样反复好几次。画面在这里定格，她看过的电影里，男女主人公总是在陌生的城市重逢，所以在那一瞬，觉得面前的男人身影好熟悉。

抬起头，是个陌生的路人。

突然雨声消失，只听耳机里，是李宗盛哼唱“越过山丘，才发现无人等候，喋喋不休，再也唤不回温柔”。

别轻易弄丢那个最适合你的人，后悔了？别怕，反正爱啊，总有遗憾，干了这杯，无醉不欢。

Ctrl + Alt + Del

经双方友好深刻协商，本着互不伤害互不损失的原则，自愿签订如下同租协议：甲（顾涛）、乙（唐糖）双方应遵守日常卫生日规定，一三五归甲方，二四六归乙方，周末根据各自特长具体商议。应注意个人素质，垃圾扔到垃圾该待的地方，袜子丢到袜子该去的地方，维持生态平衡。客厅为公共区域，不允许放一些人形公仔等招小人坏风水物件。未经允许，不得随意进入对方卧室。不准上完厕所不冲水，不许养宠物，如有朋友投宿，请提前通知对方并保证在12点之后不发出吵到对方休息的声音。如失恋不得糟蹋家具，公放苦情歌。遇到任何问题，坚持一荣俱荣，一损俱损原则，在对方需要帮忙时给予帮助。如违反以上条例，可看情节轻重罚请照顾对方吃喝拉撒一周、一个月、一年不等。本协议一式两份，双方各执一份，自签订之日起生效，乙方付清房屋全款之日起失效。以上为协议内容，如日后有需补充项目，随时沟通添加。

唐糖把自己大名签上，一脸傻笑地盯着顾涛，笑得他心里发毛，忙把钥匙递给她，自此，同居协议正式生效。

第二天一早唐糖穿着一身酷似樱桃小丸子的红白裙打开了顾涛的门，从她进门的那刻起，搬家师傅来来回回搬进来二十个纸箱，堆满客厅。

顾涛含着牙刷，堵在搬家师傅面前，“等等，这是干吗呢？”

“放货啊。”唐糖眨巴着眼睛说。

协议里并没有说不能在家里放纸箱子，更何况，这些箱子里的衣服是唐糖的命根。顾涛问她是做什么的，她把手机刷开，指着自己两颗钻的淘宝店铺说，自主创业，服装店 CEO。顾涛咽了口牙膏沫了，差点没给呛死，临近四十岁的人生，第一次感受到杀马特的致命杀伤力。

十天前，顾涛把房子挂在中介的售房广告上，这套坐落在东五环外的房子是他老母亲生前买的，把房产证交给他没几天就断了气。顾涛本以为这套房能陪自己走完剩下的半辈子，但急于用钱，只好负了母亲的意。说也惭愧，临近不惑之年，仍然存不上积蓄，兜里比脸还干净，也难怪他独身一人，走着漫漫人生路。

售房第一天，中介就打来电话，说有一对情侣看上他的房子。跟他们第一次会面是在楼下的庆丰包子铺，女生看上去二十多岁，名字很特别，叫唐糖，穿得像棵圣诞树一样贴着自己的男友，男友则全程冷面，估计现在小年轻都喜欢走高冷风吧。几个包子的来回，顾涛耐不住唐糖的软磨硬泡，优惠了一万的首付款，高兴得她屁颠颠地从粉色的小丸子零钱包里抽了钱出来付账，顾涛看着那无动于衷的男友，当时就想，这男生根本不爱她。

果不其然，在付款当天，唐糖拎着行李箱在顾涛面前哭花了妆，她说自己跟男友异地恋了四年，这次决心离开广州北上，是准备买房结婚的，这六十万首付，她跟男友商量好，他出一半自己出一半，但男友临时放了鸽子，发了一条微信说分手后，就再也找不到人了。

顾涛是典型的好好男人，有一种“女孩在面前哭身子就软”的病，本想认栽当合约失效，另觅买家，结果唐糖坚持要买，她说买房子是她跟男友的梦，他中途梦醒了，但自己要坚持梦下去，要让他看看，没有他也能睡得很好。

话说得好听，但她把存在几个银行里的钱来回捯腾，也只能凑出三十多万的积蓄，顾涛没辙，只好让她先付这一半，先住进来，剩下的首付两年内交清，再给房证。但是作为条件，顾涛抿了抿嘴唇，说，得让我继续住在这房子里。

于是就有了这份协议。

顾涛后来悔不当初，就不该为了省那房租钱提出同居，否则就算露宿街头也好过现在生活在一堆棉麻破布里，嗯，他是这么形容唐糖那几十箱衣服的。作为标准的处女龟毛男，顾涛受不了她爱樱桃小丸子、爱一切卡通撞色系的东西，受不了她每天准时讲起落跑男友那一惊一乍的尖嗓子，受不了她跟永动机一样二十四小时亢奋的性格，受不了她傻了吧唧看个悲剧都能笑出声的奇葩笑点，受不了那淘宝蹦跶蹦跶的信息提示声，受不了她大半夜贴着面膜杵在电脑屏幕前，好几次上厕所当场就要吓尿了。

当然力的作用是相互的，唐糖在最新的一条“说说你身边的反人类处女座”的热门微博下面，连续写了满满三条评论：我室友的强迫症和洁癖到了令人发指的地步，就这么说吧，这世界所有的东西必须都得去天安门阅兵式走一遭然后回来洗干净才能出现在他面前，有一次大扫除因为我把茶几上的杯垫图案放倒了，仅仅歪了四十五度，他能念叨我一整天。每天从头到脚穿着一身黑白，好怕有一天他被当作濒危保护动物抓走。他特别斤斤计较，电费网费就不说了，连抽纸的费用都算得很清楚。脾气阴晴不定，上一秒跟你讲话是琼瑶戏男主角，下一秒能在电话里跟别人不带脏字儿地吵上一个小时。身为一个男人特别不解风情，我洗澡的时候唱歌，他敲门问我，你怎么哭了，我去，我好歹大学时也是我们系的校园十佳歌手啊。关于兴趣爱好，我又有话要说了，他四十岁的年纪如果看些什么打鬼子抓内奸的片子我忍了，至少以前我陪我爸也看得下去，可他偏偏爱看什么《唐顿庄园》，家里就一台电视，我试图陪他看过一次，结果不出五分钟就睡着了。且最扯的，他是一个PPT狂魔，永远在做PPT，每时每刻，而且总有各种各样的人来找他，躲在卧室里不知道干什么勾当。求大家别赞我，被他看到我就死定了。

好巧不巧，顾涛还真看见了，为此跟唐糖拧巴许久，因为他从没觉得自己是事儿逼，好在两人靠一纸合约缓和矛盾，吵吵闹闹地过了几个月。

直到有一天门铃响起，唐糖敷着一脸像鱼卵的海藻面膜开门时，她的人生新大门就被打开了。

唐糖大学时中过一部电影的毒，主要因为里面那个叫Tony的男演员颜值高，霸道又激萌，下来搜他的视频时，看到他在机场扶摔倒的接机粉丝，从此彻底圈饭，鼻血横流，就连后来喜欢上的那个异地男友，也是因为他侧面像 Tony 而加了不少分。

这种偶像情结一般人是不会明白的，不同于爱情那种试图占有，而是默默关注他、爱护他，因为他剧透了自己的理想人生，权当遥远地给了自己一种精神力量。

所以当 Tony 本尊出现在唐糖面前时，她就疯了，止不住兴奋，把他拉到沙发上坐下促膝长谈。本人比电视上还帅，从眉骨、鼻子到下巴都被自动美颜，五官深邃无比，关键是有礼貌又耐心，被一陌生女子这么个聊法，仍然保持微笑，她当即决定，愿意一辈子做个追星狗。

直到顾涛回来把流着口水的唐糖从 Tony 身上扯开之后，唐糖才终于明白顾涛为什么每天都在做 PPT，每天都有人开会，每天都谨小慎微，因为他是 Tony 的经纪人。

作为一个淘宝妹，娱乐圈犹如高山汪洋，根本不是一个世界的，摸不着看不透。当双脚挨着这个圈圈后，唐糖对顾涛态度大变，除了积极努力卖衣服准时上缴房费，还变成了三好室友，不仅每天把房子打扫得一尘不染，还帮顾涛熨衣服做早餐，甚至独立解决各种升级刷机装系统，装卫生间灯泡，修下水管道，简直可以去参加铁人三项。当她端了一盆洗脚水放在顾涛面前时，顾涛就快给她跪下了，唐糖闪着大眼睛说：“我只有一个愿望，只要您经常让 Tony 上咱家，我给您当一辈子洗脚婢。”

“别‘您’了，我会折寿的。”顾涛拼命护住脚，惨无人道地拒绝了她。

这经纪人也是太言出必行，Tony 真就没再在他们家出现过，直到后来有一次他们夜里收工，Tony 来他们家谈事，顾涛开了门，被唐糖吓个半死，她穿着一身白色的睡衣，长发披肩，妖娆地坐在沙发上。问她怎么还不睡，她说在看剧，顾涛一看，得了，唐顿庄园，于是酸她说：“平时这个剧片头音乐还没放完你就能睡着，什么时候这么有文化了。”她翻了个白眼，假装镇定地关掉电视盒子。

顾涛杵到她面前盯着她，良久，掷地有声撂下几个字：你化妆了。唐糖脸唰地一下就红了，连蹦带跳绕过顾涛，殷勤地朝 Tony 迎了上去。

在偶像面前，粉丝永远有一种超乎常人的绝技：知道他们一切行踪，估计是靠雷达感应。

某次时尚杂志活动，二环交通瘫痪，顾涛挂着一张苦瓜脸犯愁时，雷达感应精准的唐糖蹬着一辆电动三轮车出现在他们车前，解了他们燃眉之急，但从此北京媒体圈传出了一段佳话，知名男偶像 Tony 乘三轮车参加时尚活动。那天，唐糖以超娴熟的三轮车车技漂移在人流和车流中，到现场后 Tony 精心抓好的刘海已经炸开花，她撇下发型师三下五除二用发胶乱喷，最后 Tony 顶着一头不羁的发型上了台，被评选为年度最受欢迎时尚先生。

事后顾涛问唐糖，她是怎么又会骑三轮车，又会抓头发的呢，一个淘宝店主，不能够啊。唐糖继续眨着眼，事不关己地说，这些东西不用会，靠一样东西就行，胆子。

顾涛彻底被这个女生打败了。

靠着这简单粗暴的胆子，唐糖还帮顾涛去取过 Tony 拍写真的衣服，开会的时候整理过几次笔记，接连刷了好几次脸，Tony 对唐糖印象很好，去横店拍新戏的时候，直接让顾涛给唐糖一起订了机票，让她做跟组助理。

助理这个职务，只是用比较高级一点的词汇给全职保姆套了个皮囊，要能三头六臂料理艺人一切生活起居，也要能跟管事儿的吵架，怒刷存在，不是一般人能做的。不过唐糖倒是乐在其中，何况 Tony 这种一线艺人，整个剧组都把他当神供奉着，有自己的休息室、独立的换装大巴，就连平时那些凶神恶煞的制片统筹，见到唐糖也会喊一声“唐姐”。

私下的 Tony 跟在荧屏里一样，干净单纯，没有一点架子，跟打光的师傅都能聊上几句。剧组每天都会有粉丝探班，礼物不计其数，无论是毛绒公仔，还是一颗润喉糖，Tony 都会叮嘱唐糖保管好带回北京。有好几次，她都会想起前男友，感叹这个世界上的男人真心良莠不齐，丑人多作怪，她深深相信了这个理儿，甚至觉得自己这二十多年白活了，明明十项全能，非要靠才华生存，就该早点醒悟，做艺人身边的小白脸。

唐糖在片场风生水起，倒是苦了顾涛，作为交换，他坐在唐糖的棉麻破布里包货发货。在第二次把买家的地址填错后，他气急败坏地把胶带粗暴地缠在纸箱上，结果中间起了褶皱，强迫症一犯，又撕开重新贴，而他的身后，还有二十件衣服没寄。一时间还有点同情唐糖，这女孩太辛苦，今后生意可以不用这么好的。

驻组到了第二个月，在还是如往常平静的一天，Tony 拍完戏，唐糖帮他卸掉头套，交接完第二天的台本，送他回酒店休息。今天收工最早，唐糖突然鬼使神差地想去街上逛逛，感受横店夜市和明星都爱去的老沈推拿，还在一家大排档门口看见女星 L，心想横店果真是三步一明星啊，从老沈店里出来，又看见那个 L，正举着比脸还大的苹果 Plus 打电话，见唐糖一直打量她，于是鬼鬼祟祟地往前走了，唐糖本没打算跟着她的，但她总觉得刚刚电话里传来的男声，很像 Tony。

直到看见穿着一身运动服、戴着鸭舌帽和口罩的 Tony，才验证了刚才不是她多想。L 见到 Tony 立刻开启撒娇模式，完全不避讳地挽住他的胳膊。这什么情况？！躲在一辆黑车后面的唐糖正想上前，突然车门开了一条缝，驾驶座上的人捂住她的嘴，那人拿着相机，慌张地问她：“同行？”唐糖瞪着眼睛，瞳仁来回转，捣蒜般地点头。等那人一松手，她就气沉丹田朝外面大吼一声：“Tony，有记者！”然后转身给了记者一记重拳。

时间快转到夜里，微博上已经炸开了锅，头条标题写着“Tony、L 横店密会被拍，工作人员暴打记者”，下面的评论惨不忍睹，纷纷表示粉转黑，路转黑，转得眼花缭乱。Tony 挂掉顾涛的电话，把手机砸在地上，吓得唐糖又掉了两颗眼泪，他靠着墙壁质问："你知不知道你喊的那一声，把我们所有反驳的可能都抹杀了，好了，那群人不弄死我都对不起挨了你的这一拳！"唐糖抹了把泪，委屈道："你怎么能背着顾涛谈恋爱呢，如果不是我，那记者还能拍更多啊。"

委屈归委屈，气势不能输，结果撞上枪眼，Tony 把"滚出去"三个字喊出来，对话戛然结束。

唐糖大哭着冲出 Tony 的房间，第二天坐了一早的飞机回北京，在家见到还在帮她包快递的顾涛，没忍住，抓着他的肩膀就眼泪鼻涕横流，嘴里呢喃着"对不起"，顾涛不自在地皱着眉，把她揽在怀里尴尬地摸了摸她的头。

唐糖就这么哭了半个小时，哭饿了，肚子开始叫，顾涛竟然笑起来，问她："这么早回来，吃了吗？"

她摇摇头，眼睛肿成核桃。"我们去外面吃吧，我请。"顾涛说。

唐糖抬眼看着他，这只铁公鸡突然光彩熠熠，形象瞬间高大好几厘米。顾涛接着说，"但这之前，我要写个东西，你得告诉我怎么一回事。"

接下来顾涛用了十分钟听故事，用十分钟写了一篇八百字的声明，然后登录 Tony 的微博，快速敲上文字上传图片发了出去，安排水军刷好评，过程不动声色，干脆利索。唐糖现在读那篇微博都忍不住叫好，顾涛以 Tony 的口吻，大方承认恋情，跟 L 恋爱是天意，挡不住忍不了，助理是新手，全然因为爱护自己做了错事，愿意承担一切后果，不让他爱的和爱他的，承受半点委屈。

此微博一发，大批粉丝点赞飙泪表示理解，网友的舆论导向也从通篇的骂声开始转为同情，甚至叫好，一个敢于承担的男人，即便犯了多少错，都会被原谅，但女人不行，这是一个从古至今都解决不了的谜题。

唐糖开始有点明白为什么 Tony 这么依赖顾涛了，也理解顾涛他在性格上让人忍受不了的那一面，或许正是这个圈子所需要的，让人高不可攀的冰冷和守秩序的教条。

他们在越南餐厅里，唐糖心想难得敲顾涛一笔，便点了一桌子的菜，还要了两瓶酒，微醺后的唐糖开始讲起那个女星 L，她感叹 L 命真好，长得漂亮，做了演员卖卖笑就能赚钱，还和 Tony 在一起，不像她，跟株杂草一样，风往哪边吹，她就往哪边倒，最可怜的是，她现在都不知道下一阵风什么时候来。顾涛安慰她说当初 Tony 跟 L 走得很近，就怀疑过，但 Tony 亲口跟他说过不喜欢 L 这种花瓶，也就没当回事。唐糖就着酒吃了一坨黄姜鸡，含糊不清地说："花瓶……也比我这种痰盂好啊……没男人看得上。"说到这，想起 Tony 在横店骂她的样子，鼻子一酸，眼泪又涌上来了，顾涛看她嘴里包着鸡肉发呆，在她眼前挥了挥手。唐糖回过神，猛眨了眨眼，专心吃起菜，一小段沉默后，她突然抬头说："跟你说个秘密吧。"

其实缴房子首付那天，她在男友洗澡的时候，偷看了他的手机。他在北京有一个女朋友，更荒唐的是，那个女生听说他们要结婚买房，直接去了他们家，破罐子破摔骂了很多不动听的话，唐糖给了她一耳光，最后男友也丢了“滚出去”三个字，不过不是给那个小三的，而是唐糖。

唐糖拎着自己的行李走在街上，男友发来了微信，他说，“糖，对不起，但我真的喜欢她。”你怎么不去死，骗房子也就算了，骗感情，卑鄙无耻。她把男友拉黑，哭得不能自已，直到看见微信列表里顾涛的头像。

顾涛听完后恍然，满腹说不出的辛酸，他摸着自己的平头，吞吞吐吐说，“其实我们吃包子那次，我就看出来了，他不喜欢你。”

“我知道啊，”唐糖用手挥去脸上的泪，接着说，“平时见不到面的时候迟迟不回我信息，跟他见面了却能一直玩弄手机，都说人在爱情里智商为零，但他却很清醒，知道承诺就是嘴上功夫，不用去兑现的，他也知道什么时候该热情什么时候该冷静。我又不傻，男人就两样东西给你，钱给不了，那就给时间，时间都不给，那就是不爱啊，我有心理准备的。女人可聪明了，一个人对你在不在意，自己最清楚，不用自欺欺人。”

顾涛又摸了摸她的头，主动举起杯，说：“好了，感谢那些没让我们走到他心里去的人，是他们损失。”唐糖一听，收起眼泪，转而微笑问他：“我们？话说你都这么大年纪了，还单身呢？”

顾涛甩着一张清心寡欲的脸，说：“工作就是我老婆。”

她一听更乐了，“难道你喜欢 Tony？”顾涛摇摇头大笑，用力碰上唐糖的酒杯。

事情平息后，Tony 更依赖顾涛了，新戏拍摄完，除了工作，Tony 都上他们家待着，像个犯错的小孩一样，乖乖看书追剧。公开恋情后，他跟 L 也就无所顾忌，隔三岔五也让 L 上来一起吃家庭餐。L 是个狠角色，即使唐糖把在横店的事都抛诸脑后，可她还是耿耿于怀，就是不喜欢这个大咧咧的淘宝店主，不给唐糖好脸色。

唐糖都没吐槽过她妆前妆后判若两人，倒是她话里处处藏刀子，最不能忍的是，唐糖好好在电脑前工作，L 上来说一句，“来挪挪身子，你挡着我的 wifi 信号了。”

她当时就想，使劲嘚瑟，总有你栽的那天。

一语中的，有次 L 聊完微信去厕所没锁手机，不巧被唐糖看见聊天内容，跟一个当红男模一口一个老婆老公地叫。她头皮发麻，情急之下用自己手机拍下来，强装镇定地借口出门，直奔 Tony 的工作场地。她把中途休息的 Tony 拉去一边，事先给他打了无数预防针，但言之凿凿是为了他好，必须要这么做，然后把拍下的照片递给他。

本以为他会勃然大怒，但他的表情反而像是自己出轨一样，警惕地向四周看了看，细声说让她不要把这件事说出去，唐糖当然不解，几番纠缠，Tony 终于松口，说他跟 L 是协议恋爱，一起捆绑为了炒作宣传，甚至暗示她如果这件事被别人知道，她在北京没好日子过。唐糖接受无能，她一把抓起 Tony 的西装，用力瞪着他，带着哭腔问，“你应该知道啊，我把你当作偶像，当作我的精神寄托，希望你过得好，一辈子幸福，可你怎么能为了炒作来欺骗这份祝福呢？那些每天为你的幸福跟黑子们吵架，比爱他们自己都还爱你的粉丝，你对得起他们吗？”话没说完，Tony 低头在唐糖脸上留下一个吻，在她愣神的当下，抢过她的手机，直接删掉了那张照片。

“这个吻，是我每天工作的一部分，”离开前他说，“感情用事是种心理缺陷，所谓粉丝，不过是指望着别人幸福来意淫自己的美好生活。如果真是这样，那一开始就错了，因为干这一行，没有幸福可言。”

在这之后，Tony 在唐糖面前彻底现了原形，他并不是暖男，而是彻头彻尾的渣男，全身注满了人前一套背后一套的负能量，嘴上说不在意网上的恶意评论，但背地里刷着微博骂人家全家。那几个跟他关系要好的男明星，一直以来被喧嚣的水军骚扰，其实也是他搞的。他跟 L 在微博上秀着恩爱，让路人把他们视作模范情侣，那些矫情到死的情感账号上，分享的是 Tony 根本没说过的爱情宣言，是他跟 L 无数次刻意摆出的眼神、牵起的手。他努力把自己表现得谦和识大体，在所有人称赞的目光里，把他心里那份别扭的阴暗包裹得严严实实。

唐糖终于崩溃，挑了一个北京气温骤降的阴天，把 Tony 的破事跟顾涛摊牌。顾涛仍然保持那份气定神闲的淡定，在唐糖滔滔不绝一番后，问她，“那你还喜欢他吗？”

“讨厌死了！”

他不疾不徐地说：“所以，很多事还是别知道真相为好。”

那天唐糖挂着满脸泪朝顾涛大骂，把自己箱子里的衣服连着包装袋一包包砸在他身上，“卑鄙”“不要脸”“骗子”，什么不好的词汇都用上了，她觉得这辈子都没这么生气过。

顾涛说，他一直知道 Tony 是个什么样的人，他的想法、他的每一步，都看在眼里。Tony 的人生，顾涛已经计划好了，包括横店的那个记者也是他安排的，把唐糖那一拳夸张成“暴打”也是他写的，那份掷地有声的声明也是他自导自演早就想好的。

从 Tony 参加选秀比赛出道，顾涛就一直带着他，八年来，看着他从一个默默无闻的新人到现在成了别人眼里的风景，两个人一起受过欺负排挤，吃过常人没吃过的苦，睡过清贫的小房子，最苦时抱头痛哭过，也因为一部戏爆红而酩酊大醉过。所以他自负，他知道；他心机满腹，他知道；他要强，他也知道；他害怕失败，他更知道。Tony 最红的时候说过不会亏待他，但每年只送他一部最新的 iPhone，顾涛从没在 Tony 身上赚过什么大钱，也没跟他提过任何需求，拿着经纪公司给的薪水，在所有人都以为一人得道、鸡犬升天的时候，却靠着老母亲留下的房子维持着普通人的生活。顾涛对于

Tony，又像兄弟又像父亲，顾涛即便再不待见他又怎样，他知道自己始终都不会离开他，因为无论爱还是恨，说到底都是爱。

唐糖气冲冲来到小区门口，正犯愁去哪，结果顾涛一脸慌张地跑出来，绕过她抢先一步在街口拦了辆出租车。生气的该是我吧，唐糖撅起嘴不由分说地一起挤了上去，根本不给顾涛说话的余地，一路上骂声不停，直到出租车停在朝阳医院。

顾涛冲进病房，房间里有一对穿着光鲜的中年男女，一个小男孩躺在床上，睡得很安静。顾涛看了眼男孩，转身对着中年男女就是一顿劈头盖脸的臭骂，“强强对花粉过敏啊，你们还带他去花园餐厅，一次两次忘带哮喘喷雾，人直接躺医院来了，高兴了？你们会遭报应的！”

中年男上前插话，“顾涛你行了，要不是你迟到，强强不会在餐厅待那么久。”

“你闭嘴。”顾涛不留余地回击，直接拽起男人的领子。

“爸爸！”小男孩适时醒了，对着顾涛笑。

没见过顾涛这般愤怒，唐糖站在他们身后，吓得大气不敢出，脑洞一时间开得太大，需要把眼前的情景梳理一遍。她默默看着顾涛跟强强赔不是，强强很懂事地在他脸上亲了又亲，父子俩把刚刚剑拔弩张的气氛变得舒缓许多。

最后她陪顾涛把强强送回他爸妈的大别墅里，临走前，那个女人打量了她一番，那个眼神，让她不由自主打了个激灵。

顾涛转身经过唐糖身边，淡淡地问，“陪我喝一杯？”

那晚他们迷失在一家酒吧里，两个人连喝了五扎啤酒，当然，大部分是顾涛喝的。

顾涛跟他老婆在大学相爱，毕业后没两年就结了婚，生下强强以后，女方不知是否因为生育后身体内的基因重组，突然像变了一个人，玩心大发，平淡的顾涛当然无法满足她，两个人的生活开始出现裂缝，后来女方在一个聚会上认识了她现在的老公，听说洛杉矶最大的制药厂是她老公家的。

还是如同那些电影里的情节一样，顾涛深知自己没有资本做一个好爸爸，离婚后，强强自然跟了女方，每月跟顾涛见几次。按照承诺，强强上小学后，顾涛会给他八十万作为赡养费，这也是身为父亲辛苦半辈子，对儿子最后一点力所能及的心意。

所以他才会卖房子。

顾涛说完他的故事，把头沉沉地垂下，四周嘈杂的环境像是幅冗长的GIF，就他是一个安静的帧。唐糖翕了翕鼻子，坐到他身边，自罚一杯酒，道歉，“都怪我跟你吵架，你才没按时去找强强，害你迟到了。”

顾涛摆摆手，呢喃道：“我迟到很久了……”话没说完，他竟然哭了，保持低头的姿势，肩膀止不住颤抖。唐糖慌得束手无策，见他身子抖得越来越厉害，只能抱住他的头，一下下抚摸他的背，轻声安慰，“没事的，没事的。”

突然好心疼这个男人，他太累了，习惯付出，却不习惯要求回报。现在这种境地，安慰亦无用，唯有让他好好哭一场，或许是最好的解决办法。

这晚之后，他们好像知道了彼此最重要的秘密，心照不宣，说话做事神同步，随时都带着默契，过去那些是是非非也不重要了。但就在气氛趋于缓和的时候，Tony 惊慌失措地出现在他们家门口。

有人给他传了一封电子邮件，图片上他正在亲唐糖，正文要求三百万元封口费，否则把所有照片曝光。在数次跟顾涛眼神交流，知道这回肯定不是他安排的之后，唐糖也陷入恐慌。不过这事由不得 Tony 懊恼，也没有别的解决办法，只得认栽，为他的幼稚买单。

Tony 把钱悉数打了过去，但最后那些照片还是都放了出来。

微博再次成为全民娱乐之地，顾涛的电话也没停过，根本不给他们解释的机会，那些平日里被 Tony 得罪的剧组工作人员、宣传，还有一些小艺人，都群起而攻之，发微博加入全民声讨。莫名其妙成了当红偶像的小三，唐糖恨 Tony 恨得牙痒痒，但他们现在是一条绳上的蚂蚱，除了想对策别无他法。顾涛把自己关在屋子里研究危机公关，到了后半夜，他把在沙发上睡死的唐糖和 Tony 叫醒，笃定地说："明天下午 2 点，我们开发布会，公开你俩的关系，不管真假，让别人相信是真的，我们知道是假的就好了。"

他端来一碗小熊饼干，让 Tony 照着他的意思背台词。对不起 L，对不起唐糖，对不起粉丝，对不起国家对不起党，总之就是自己坏得无药可救，跟两个女生没有关系，是自己无耻又自私，才会在暧昧的时候自以为是佳人，但殊不知，真爱还在后面。总结一下就是，我不是明星，我只是一个普通的男人。

只要情感没到位，背错词儿，顾涛就拿饼干扔他，直到说得毫无破绽，感人泪下。

看着他们练得热火朝天，唐糖腹诽，从头到脚的脾气，尤其是想到顾涛让她“公开”和别人的关系，更是莫名火大，最后把这气撒在 Tony 身上，只要他一说错，不光扔饼干，还扔自己店里的衣服，两大包一起扔，砸不死他。

第二天发布会紧急开在一个五星酒店里，从他们家小区到酒店门口，全部堵满了记者，几个人像过街老鼠一样躲了一路的闪光灯。上台后，Tony 对着那些直播的机器深深鞠了一躬，坐定，看了眼站在最后的顾涛，他非常诚恳地、真挚地、谦虚地、委屈地，讲了另外一个故事。

他把那几张照片解释为是一个疯狂粉丝处心积虑的不作为，像是电影《危情十日》一样，书迷对作家失去理智的爱，甚至威胁他，如果不顺她意，就用硫酸毁掉他最心爱的 L。

在场的记者哗然，顾涛捏紧了拳头，眼圈通红，但却没有阻止 Tony。

唐糖一时间成为众矢之的，她撕掉顾涛的同居协议，搬走前送给他一巴掌。再多的解释已然多余，顾涛只能默默保护她，看着她每天足不出户躲在日租公寓里，一周偶尔出来一次，也要辛苦地把自己乔装成另一个人，偷偷摸摸去超市买点日用品，好几次他都只能向快递大哥打听她的消息，听说她过得很不好，就觉得是自己毁了她。

家里少了那个打了鸡血每天忙碌的女孩，竟愈发觉得空落落，顾涛心想，这是一个多么神奇的女孩啊，被男友这般伤害，仍然活得像枚钉子，牢牢地死钉住生活不放。她应该偶尔也会很难过吧，但至少在他面前，鲜有那种矫情到死的悲伤。她作为“服装店CEO”每天拼命的样子，她洗澡唱歌的声音，她打扫卫生时抱怨的扭捏，她固执讨好时的眼神，还有她为了讨教做经纪人的不二法则，他打趣逗她知识可以教但智商不能给时，气得她故意弄乱自己床单的模样。

这是处女座强迫症最怕的，他好像已经习惯有她了。

这天顾涛还是如往常一样偷偷去她家楼下蹲点，不过没等到发货的快递大哥，倒是等来一群社会青年围着唐糖的公寓指指点点。他预感到会出事，果然，戴着帽子的唐糖刚从楼道里出来，那些青年就朝她围了上去。来不及提醒，顾涛忙不迭冲到人群中间，把唐糖护在身后，呵斥那些人，可他们已经被舆论洗脑，一个个都像举着烛芯的蜡烛，等着大火来烧。

顾涛被几个男生直接撂倒在地，然后是一顿拳打脚踢，他拖住两个力气最大的男生，朝唐糖吼：“跑啊！快跑啊！”

剩下的那些人穷追不舍，唐糖根本跑不过他们，顾涛挣扎着爬起来用身子去阻挡。直到她跑到街对面，听到身后传来一阵急刹车，闹剧在此刻结束。

顾涛做了好长一个梦，梦里唐糖在他们的房子里练着瑜伽，她背对着顾涛，不断撩拨自己的长发，在逆光下因为有汗而蒸腾起层层雾气，他觉得这个场景好美，想一直停在这里。

他站在唐糖身后，犹豫了许久，最后借喝水的空当，咬着水杯，含糊不清地说："不如，和我在一起吧，你跟别人，我担心你受伤。"

唐糖竟然听到了，转过身来。

画面模糊，渐渐清晰成一间病房。罩着呼吸罩的顾涛扭头看看身边，是强强和前妻。

他出车祸昏迷这半年，错过了很多事。强强一年级的期末成绩非常好，老师同学都很喜欢他，他把老师的评语表带到病房来，说什么都只让顾涛签字。Tony 和唐糖的事急转直下，因为女星 L 受不了舆论压力出来勇敢承认她跟 Tony 的假恋爱，一切都是娱乐圈虚无缥缈的炒作，唐糖是受害者。Tony 宣布无期限退出娱乐圈，把大部分钱以顾涛的名义给了强强，然后留了一套国贸附近的房子，作为就此跟顾涛解约的"分手费"。

而唐糖，在照顾顾涛第三个月后，留给他一封信，就失踪了。她的淘宝店东西全都下了架，朋友圈微博停在了三个月前那一天。

唐糖的信里写着：

如若最后遇到像是黑夜中静谧的星空，那当初跋涉的这一路，崴脚的石子，走过冒失的风雪，在此刻都成了过眼烟云。夜风徐徐，望着那片星空，心里有一个可以想念的人。

听一个信佛的姐妹说，印度是个有灵性的国家，给我无限期时间，祈祷沉淀，希望在我回来之前，我们都能重启一番。

落款还写了个备注：这是我看完《唐顿庄园》的感悟，我也可以很有文化的。另外，别失忆。

北京秋天很短，几次大风过后，气温就降至零度。顾涛的小区因为物业跟热力公司闹矛盾，停了暖气，11 月底的天冷得像冰窖，车祸醒来之后，他好像就特别怕冷，就算裹在被褥里，手脚还是冰凉。半夜睡不着，迷蒙中看了看手机，不自觉滑到很早前的联系人，给唐糖发了个小丸子的表情。

小丸子亲她爷爷。

发完又觉得别扭，赶快补上一个小丸子和花轮的，这才满意地睡去。

顾涛的新工作是个自由撰稿人，完全摆脱了熟悉的娱乐圈，给一些文化杂志和报纸写专栏，不讲是非，讲讲环境保护和心灵鸡汤。

圣诞节前，他买了一棵巨大的圣诞树，还专程把强强接过来准备一起回家布置，打开房门时，一股温热的暖流袭来，他诧异地朝里看了看，心想物业什么时候从良了。到客厅把圣诞树放下后，他注意到桌上多了一套很别致的杯子，形如黑白色的电脑按键，上面写着“Ctrl”“Alt”“Del”。

他想象电脑上三个键的位置，Ctrl+Alt+Del= 重启。

他会心一笑，这时，浴室里传来一阵熟悉的歌声。

没在一起 挺好的

阿翘这个名字的由来，源于她每到关键时刻绝对翘辫子的光荣纪录，运动会一百米接力，肠胃炎翘辫子；体检倒在抽血台上，晕血翘辫子；期末考试她手里那张答案最多的小抄，任凭朋友在后面踹了多久的凳子，她都不敢丢出去，翘辫子。

翘辫子翘得最严重的，是她初二那年遇上张同学之后。

张同学，高二理科生，1 米 83，全校知名风云人物，夏天大家恨不得把彩虹穿身上他却只有黑白基本款 T 恤；冬天大家裹成熊，他就穿一件单薄的风衣，领子要立起来那种；当时帅哥发型都流行长刘海锡纸烫，唯独他每天顶着一头油亮的飞机头。除了穿着打扮特立独行，还是校篮球队的主力，当所有女生惊叹篮球爱好者们精瘦的身材时，张同学以一身壮实的肌肉成为球场上最醒目的那只。对，他有特别的形容词。

阿翘所在的学校初中部和高中部在一起，恰巧高二的停车场就在阿翘班门口，第一次见到张同学，她的雷达就开了，所谓一见钟情不过是动物最低等的原始兽欲，脑补自己挂着对方结实的胳膊被拎起来原地旋转的场景以及被按在墙角欲拒还迎地融在他宽阔的怀里。可惜阿翘当时还是个不起眼的小姑娘，容易害羞体质，在全校都认识的张同学面前，她除了敢用眼睛非礼别人，行动上从不迈出一步。

暗恋模式开启以后，阿翘的生活就以张同学为轴心，特别喜欢黑白 T 恤，特别喜欢做课间操，特别喜欢放学，知道他每天都会去打球，于是就假惺惺抱着课本去篮球场后边的凳子上温习；知道他喜欢玩网游，于是也默默注册一个号蹩脚地浪费时间；知道他们家要转好几辆公交车，于是傻乎乎地一有时间就跟着他挤公交车；知道他喜欢梳飞机头，于是专门去网上找各种各样的发胶，当时的志向是去韩国做发胶代购，把最好用的都买给他。

但好在暗恋也不是毫无效果的，张同学最后认识了她。

在某个周一升旗仪式后，阿翘代表他们班上台演讲，讲到一半，人群中最显眼的张同学突然抬起头打量她，打量到阿翘直接恍了神，记不得稿子念到第几行，脑充血连字都看不清，傻愣愣待在台上，硬被旗手拽了下去。

既然认识了，那干脆就碰撞出更多交集吧，不然有点浪费缘分，这叫沉没成本效应。

学校有个社会实践的惯例，各年级各班轮流一周为学校监工，阿翘被分在高二的停车场守车。张同学是个迟到大户，每天铃响二十分钟才推着车慢悠悠地出现，一看这几天是阿翘，更是迟到得丧心病狂，直接第一节课过了才见到人，红了樱桃，绿了芭蕉，爽了小张，苦了阿翘，她不得不用“请 ××× 吃饭”餐券买通驻守办公室管迟到记录的同学。

如此理所应当的原因很简单，在他们第一次面对面交流时，张同学用三句话就摆平了阿翘：“你是上次升旗仪式演讲的那个哦？”“轮到你们班社会实践哦？”以及“那就不要记我迟到哦！”英语课本上“好阿油？”后面还要答一句“服爱恩，三克油！”的啊，完全不给回答的余地，重点是阿翘完全招架不住他那一口台湾腔，而且张同学是河北人啊！后来阿翘有问过他这个问题，他说，当年刷了十几遍《流星花园》留下的后遗症。

停车场围墙对面是一家叫作“胡子面”的苍蝇馆，放学后常排队，这几天唯一的慰藉就是可以随时吃到香喷喷的面，只要在围墙边吼一嗓子，对面小妹就屁颠屁颠跑过来。更欣慰的是，张同学经常翘课跑来一起吃面。阿翘只搬了自己的桌凳下来，于是她坐凳子上吃，张同学坐桌子上吃，为此还招来不少同学的闲话。不过阿翘心里倒是乐呵，能跟风云人物传绯闻，脸上多贴金啊，即便身体成不了恋人，但心里也可以满足。

张同学有多奇葩呢，一有空就逮着阿翘讲《流星花园》，知道她也玩同款网游的时候，非要对照着攻略书跟她一起研究，他每天要吃三碗胡子面，加上三餐一天吃六顿，每次吃都很快，吧唧吧唧的，像吃满汉全席一样。阿翘也不厌其烦，纯种脑残粉对方的一言一行通通接受。

有一次阿翘问张同学，为什么老迟到，他说因为他成绩好，还说他坐在班里后面墙角的位置，因为他上课爱讲话，跟谁坐都讲，还让同桌也爱上讲话，平时文静得跟个聋哑人的姑娘，最后也能变成话痨。那你为什么不好好听课爱讲话呢，阿翘问，他说不是他爱讲话，是老师讲得不好，人要多找找自己的理由。阿翘觉得这段对话该被消音。

社会实践最后一晚，阿翘说了好多比如“这几天真的很开心”“你要加油哦”这种莫名其妙的话，究其本意，是把这几天与张同学的二人相处当作是约会，有些舍不得罢了，倒是张同学煞有介事地摸了摸阿翘的头，说，“你可别干傻事。”这一亲密举动让阿翘的肾上腺素分泌过猛，当即满脸通红，吆喝着“呵呵呵呵”你想多了，为了纪念这几天的革命友情，我请你吃胡子面，三两，吃到爽！

晚上的学校空气里都是温润的泥土味，伴随着阿翘一声声呕吐以及哭喊，泥土味显得有些油腻。

二人份的三两胡子面，阿翘心情还未平复，吃得过于迅猛，大口咬着面对张同学傻笑，直到吃到一口酸酸的东西才埋下头看了看，筷子上还留着被咬掉的半截蟑螂，胡须还在上面。

阿翘哭得妈都不认识，关键时刻继续翘辫子。

那只伟岸的蟑螂最后成了阿翘与张同学感情升温的桥，他俩有事没事混在一起，吃串串的时候阿翘看见张同学鼻屎挂在鼻头，也觉得可爱，网游打怪掉了好装备，故意说网络卡让张同学先去捡，他们还没日没夜地传短信，从今天穿什么到老师又讲了什么无聊课，事无巨细，为了那一毛钱一条的短信费，阿翘没少省吃俭用。她觉得热恋的情侣也不过如此吧，这应该是所谓的惺惺相惜，即将白头偕老了吧。

初三那年愚人节，晚自习下课，同学叫阿翘说有人找，远远看见张同学穿着白 T 恤，手插裤兜一大只走了过来，后面还跟了俩小弟，心花怒放的阿翘刚踏出教室门，就被突如其来的面粉撒了整脸，然后伴随着身边女孩子尖利的笑声，越来越多的面粉扑过来。

阿翘虚起眼在一片白茫的视线里寻找那个笑声的主人，一个短发戴着牙套塌鼻子的雀斑女孩。这人是谁啊，不等反应，又一坨面粉直接冲向了眼睛。

“别丢了啊，进眼睛了！”

张同学把那个女生拉去一边，阿翘揉着眼睛正想发大火，只见他把手搭在女生肩膀上，抱在自己怀里。

面粉都落了下去，视线也变得清晰起来。

“给你介绍一下，这是小波，你造（知道）的，我那位。”

“哪位？”阿翘继续揉眼睛，心里想，你啥时候养了个宠物我怎么造（知道）！

“我老婆啦！”

“哦。”阿翘揉眼睛。

“没一点表示哦。”

阿翘用力揉眼睛，不说话。

“不要以为你现在是雪孩子，就以为自己不会讲话哦哈哈哈。”

“你能不用台湾腔讲话吗？”阿翘用手捂着眼睛，直愣愣冲张同学丢出两个字，“傻 ×。”

阿翘没有哭，眼睛红是被面粉熏的。

她是这么安慰自己的。

她不觉得这是失恋，只是可能两个同行的人前进的方式发生了偏差，一个走向热带雨林，一个回到冰河世纪，她不会在最冷的地方待太久，张同学也不会一直衷心于热恋。他们一定会回到属于彼此的位置，再相逢的。

张同学以为阿翘生气是因为面粉玩笑开过了，连发了一星期的道歉短信，阿翘假装高冷都没回，可背地里要么安排眼线，要么亲自跟踪，把那个叫小波的女生摸了个底朝天。比自己大两岁，身高1 米 65，张同学隔壁班，因为声音特别丁是常给各种动漫爱好团配音，爱画画，喜欢周杰伦，曾经画过一幅两米乘以两米的周杰伦油画亲手送给他，爱吃麻辣小龙虾，头发是对面那家发廊三号师傅剪的，喜好花花绿绿的衣服，一般男生绝对正眼都不瞧的类型，以及张同学每晚都要送她回家，因为他不是一般的男生。

因为和张同学的短信少了，于是凭空多出大段时间，阿翘书也看不进去，脑袋一挨着枕头精神又立感抖擞，那会儿流行写交换日记，阿翘就大半夜给张同学写日记，还是报备每天穿了什么、老师讲了什么，以及有多想他。

当然，那本日记从没交到张同学手里。

中考成绩下来，分数线连学校最差那个班都没过，升不了学，阿翘把自己关在卧室柜子里哭天喊地装可怜，她知道老爸找关系肯定能让她上，而且她指定要去高一（7）班，因为7班跟高三在一层楼。

后来就出现了这样一道靓丽的风景，立领风衣男肆无忌惮地牵着圣诞树雀斑女闲逛，所到之处背后必定带着一个像女儿一样的跟屁虫。胡子面馆被阿翘拉入黑名单，于是每次就在旁边买一笼包子看着张同学和小波吃面，他们三个还一起去爬过峨眉山，一起去打乒乓球，一起翘课去看周杰伦的演唱会，好在小波从没有对阿翘夹在二人中间有半点不爽和疑虑。

悄无声息地半年过去，小波决定考美院，于是大段时间都不在学校，每一次回来就跟变了一个人似的，头发变长，也瘦了，越来越漂亮。出于同性本能的排斥更何况是情敌，阿翘也不甘示弱，买遍了所有美妆杂志学化妆，本想把自己弄得跟小波一样，却每每搞得像个鬼。

高三下学期，张同学经常跟小波吵架，本来见面次数不多，一碰面就以穿着打扮为导火索开始翻旧账，闹革命。最后一次吵架，是小波做激光手术把雀斑点掉之后，张同学暴怒，当着小波的面把手机扔到楼下，说这辈子都别联系他了。阿翘心情很复杂，她觉得自己当卧底这么久总算功成身退，张同学可以回到自己身边了，可她看到张同学至此一蹶不振就心软了。不振到什么程度，第一名的成绩在模考后瞬间落到第十八，不上课，风衣也不穿了，套着脏兮兮的校服每天泡在网吧里。

有种感觉怎么形容呢，就是你喜欢一样东西，但又不能得到它，于是每天都捧着，看看就好。有其他人喜欢，说明是这个东西真心好，反正自己捧着，就当作拥有了。但如果有一天这个东西自己碎了、坏了，你就无能为力了，捧不住，只能求着能修好它的人，让它回到原来的样子。

阿翘还是去找小波了。

阿翘问她，为什么要把自己变成现在这个样子，小波反问，那你觉得现在的我漂不漂亮。阿翘停顿了一会儿，回答，漂亮。那不就行了，小波笑起来。可是他不喜欢你这样，阿翘呛声。他不喜欢这样？那你干吗还要学我化妆打扮呢，小波那个尖利的笑声又飘了起来。

小波早就知道阿翘喜欢张同学，只是从没把她当回事儿，不把比自己还不如的人当成敌人。她冷笑完丢给阿翘一句话，然后就离开了。

她说，你省省吧，丑小鸭能变成白天鹅，不是丑小鸭有多努力，而是她本就是。

第二天阿翘课间去找张同学，却无辜被对方当成靶子，当着所有同学和高三学长学姐的面，被狠狠骂了一通。

“你去找小波了？你找她干吗？”

阿翘被对方抓着肩膀悻悻地憋出几个字，“让……让你们和好啊。”

“你闲的！”张同学侧身张着嘴大口呼吸，然后回过头指着阿翘鼻子骂，“她已经有别人了，一个香港佬，那些整容买衣服鞋子的钱都是他的，你是白痴吗，你看不出来吗？！”

阿翘眼睛有些红，她想找一把面粉塞进眼睛里，她说：“我真不知道。”

“我就不想让她觉得我在乎她，我都没去找过她，你去！你谁啊，你就是想看我笑话，开心！”

张同学停不下来，一股脑脏词儿屁话全涌上来了，这段时间的情绪跟他的飞机头一样，航空管制太久，终于可以起飞了。

居然这个时候全转换成河北口音了，阿翘脑袋突然放空了两秒，然后控制情绪的那个阀门突然开了，她咬了咬嘴唇，交换日记里，失眠的晚上，那些没说出口的话，全成群列队从嗓子眼冒了出来，“我谁，我喜欢你啊我谁，喜欢你一年多了，网游是为你玩的，每顿饭钱是为你省的，课间操的体转运动是为你转的，知道你爱迟到所以社会实践去管车棚是为你求班长的，每次画成鬼的眼线是为你画的，468 转 628 再转 11 路公交车的所有路线图也是为你记下的，全世界都知道了，为什么就你不知道，我是白痴，那你能医好我吗，医不好你还对我这么好，你是傻子吗？！”

说完阿翘就哭了。

张同学说不出话，周围的同学也瞬间哑了嗓。

后来阿翘觉得，还不如把全世界的面粉都塞到她眼睛里，或者说宁可在那一瞬间就死掉算了，只要不要让张同学看见自己真的为他哭就好了。

她一直不能让自己哭。

因为她在书上看过，说如果真的为了一个人撕心裂肺哭过一次，那么那个人就会从至关重要的人变成可有可无的人了，因为那个人能把自己伤害到那个样了的机会只有一次。那一次之后，即便自己还爱他，可是总有一些东西真的改变了。

阿翘想一直捧着他，想一直在他身边，不要给他任何伤害自己的机会。

后来半学期，他们俩都没再说过话，有几次远远地感觉要碰面，阿翘也刻意回避了，自己也不知道在躲什么。

时光匆匆，随着学校门口的柳树枯萎嫩绿间交替，高一学年结束，阿翘分去了文科班。高三放榜那天，她没有在上面看到张同学的名字。

后来的后来，张同学就消失了，不知道他去了哪，毕业如一场告别的宴席，几杯酒下去后就各自回家了，留在桌上的是彼此要做一辈子好友的誓言，带走的是我们终会把各自遗忘然后再去遇见别人的明天。

阿翘高二的时候，被隔壁理科班的一个双鱼男追，因为他是住校生，会多上一节晚自习，于是常偷偷潜进阿翘班上，在她课桌上用铅笔写写画画，加上班里同学瞎起哄，阿翘也没有拒绝过，权当是多一个人吃饭聊天。只是有那么几次，她恍惚间把他看成张同学，直到对方牵起自己的手，她才意识到自己多想了。

那会儿，大家都对班上谈恋爱的女生是不是处女这件事兴趣颇高，阿翘自然没被算在内，为了看热闹，好几次还故意把她推进双鱼男的班里，让他们亲一个亲一个。

幼稚。

其实连跟他牵手都别扭。

等到阿翘升高三的时候，校领导给他们在学校对面租了一个三层的写字楼，专门给高三和复读生当教室，以便安静备考。

双鱼男的班在走廊尽头，与阿翘相隔甚远，两人不痛不痒地在一起了半年多，结果刚一进高三就被张同学杀了个回马枪。

他竟然出现在复读班上。

张同学说高考那天拉肚子，浑身上下都在想着法儿跟肚子友好交涉，没心思答题。第二年去外校复读，录取通知下来，离他想去的 A 大差几十分，被下面的二本录取了，那个学校看着挺高大上，结果竟然是公共澡堂，张同学不喜自己的小弟弟被别人看了去，于是因为这个原因又跑回来复读。

用他的话说就是，干！

两人再见面，好像往事都随了风，谁都没提过去，默契得就像久未见面的老友，在走廊上碰到就彼此会心一笑。

“过得挺好的吧。”张同学笑，“听说有男朋友了哦。”

“嗯。”

“真好，改天一起吃面吧，我请。”

“胡子面拆掉了你不造哦。”阿翘故意用台湾腔学他。

“……是吗？不造，不造。”张同学若有所思。

“好好学习啦。”

他们保持碰面打招呼的客套，没有过多交集，有时阿翘跟双鱼男吃饭的时候会遇见张同学，他也不来添乱，礼貌地坐在隔壁桌，像两个失去自由的木偶，被线扯着吃完，结账，然后离开。

真的好好学习了。阿翘刚进高三是班上倒数十几名，第一次模考之后她就每晚看书到三点，起初打瞌睡用速溶咖啡缓解，后来不管事儿了就喝罐装的，等到对所有咖啡都形成抗体之后，她又开始喝红牛，末了，只能站着看书。她把文综每一科的书几乎都背了下来，英语整理了十本错题集，最难摆平的数学也来来回回做了好几十套模拟卷。

二次诊断考试，阿翘冲到了班上第四名，一下子跻身重点本科行列，阿翘觉得世界都开朗许多，不仅同学和老师，连爸妈看她的眼睛都是带着光的，真是没白辜负她多长的几斤肉以及快掉到下巴上的黑眼圈。

时间再快进，临近五月中旬，这天下午阿翘到教室后，就开始跟同桌出拼音题，正在思考“档次”的“档”到底读四声还是三声时，她就晃了起来。

她以为有人在摇她凳子，可是发现身边人都在晃，依稀记得有个同学喊了声地震，随后整片记忆就变成之后所有人看到的样子。她推搡着人群跑出教室的时候，好像看见双鱼男和张同学都向她伸出了手，但最后牵住了一个人的手，从走廊后门逃出了写字楼。

来到还在摇晃的街道上，记忆才稍微清晰了一些，私家车的警报铃和人群的哭喊混在一起，她歪着脑袋，看着牵着自己的双鱼男。

后来阿翘说，当年她最后悔的一件事，就是没有去牵张同学。

她说，如果在他们重逢那天再热络一点就好了，如果早点告诉双鱼男其实自己只是用他来弥补张同学的遗憾就好了，可是哪有那么多如果，喜欢一个人最卑微的，不过就是在对方面前，那种说不出口的假装洒脱。

毕业后，阿翘考取了本地的大学，双鱼男因为家里有安排，直接出了国，阿翘跟他本来感情就不牢靠，加上异地恋，大一没撑过，两人就和平分了手。

张同学如愿去了 A 大，时间进行到这里，属于张同学的时代才正式来临，飞机头和他这种壮汉体形流行起来，而且能把基本款和风衣穿得如此不违和的也只有他了，加上性格乖张，他很快成为社团的文体骨干，一三五弹吉他唱歌跑酷，二四六跟外校打篮球赛，帮学姐拍的小广告还被各大网站转载过，校内网全是粉丝，每天有偷不完的菜，几次学校成为媒体热点，都拜他所赐。

当然，这一切阿翘都看在眼里，在他成为校内红人之后，每发一条状态底下都有成团的留言，发一张照片更是，阿翘建了一个小号，在他每条状态照片以及日志下留言，不知道说什么，就回一个“早”、“安”或者“哦”然后打很多“~~~~~”符号。

阿翘大学四年都没再交过男朋友，她没办法接受男生有刘海，没办法看见瘦骨嶙峋的男生穿花 T 恤，更不能看到任何人把 POLO 衫或者风衣领子立起来，她喜欢台湾偶像剧，因为觉得台湾腔亲切，她喜欢张孝全杨佑宁一切跟张同学一个型的男明星。阿翘多希望他不在身边，但身边的每个人都像他，说实话就是放不下张同学，她相信时间最后一定能磨平所有伤口，但过程应该会很久。

可笑，她知道，没有哪个女生比她还自作自受了，重点是“作”那个字。

故事的结局，是两年后的事情。

阿翘在北京一家杂志社工作，做内容编辑，第一次独立参与选题拍摄四个刚发片的新人，其中一个叫陈清苏的看着特别眼熟，但因为对方气场太强阿翘也没有过多打量，跟服装编辑对好服装，就默默去一旁写稿了。拍摄结束后，陈清苏留在棚里，招呼助理去买了星巴克，然后递给阿翘一杯，说了句，好久不见。

阿翘就呆了，虽然面前高挑的美女笑着露出一排整齐的牙齿，但也能瞬间把过去那排牙套脑补在上面。她是小波。

那天两人聊了很久，她说跟张同学有过联系，还说他这几年一直是单身，而且他好像最近也来北京发展了。

你不知道么，小波问。

张同学签了一个皮包影视公司，拎着行李箱到了北京之后，才发现上了当，还被骗了三千块，这只鬼灵精为非作歹那么多年，认识那么多人，最后在明星梦面前却丢了智商。

接到张同学电话，阿翘有些措手不及，两人约在望京的韩国烤肉店见面，四年之后再碰面难免有些尴尬，结果张同学还一言不发只顾着吃免费的酱蟹，阿翘就挑着盘子里的辣白菜吃，偶尔抬眼看看对方。

“今天这顿我请。”张同学突然说话了。

“好。”

“但是作为交换，我今晚住你家哦。”张同学镇定自若地又找服务生要了一盘酱蟹。

“为什么？”

“没有找到房子，又没人收留，就找你了。”

非常理所应当的对话，跟初中让她不要记迟到一样，完全不给阿翘开口问他现在是大红人为什么不去住酒店，为什么不去找小波，或者直接一点为什么这么多年都没联系，唯有默默应和着。

“你为什么会来北京啊？”张同学发问。

“嗯……想试试一个人可不可以，”阿翘说，“也想开始新的生活。”

“那开始了吗？”张同学开始吃旁边的冷面。

“嗯。”

“这面不好吃，”张同学吧唧吧唧嘴，“没有胡子面好吃。”

“不要再提那个面。”

“哈哈对哦，蟑螂应该很想念你。”停顿了一下，“挺想念的。”

酱蟹来了，帮阿翘挡过了回应，她尴尬地低下头发了会儿微信。等烤肉上来，两人才在热腾腾的烟气里重新熟络起来，各自讲了讲最近几年的经历，看过的电影，去过的地方，国家发生的大事，连世界末日那天做了什么都聊了，唯独绕过很多重点，那些发生过的假装忘记的。

两人饭后又去三里屯的酒吧坐了坐，霸占一张桌子玩游戏，开始只是喝莫吉托，后来玩开心了谁输谁就喝店里最烈的酒，店家取了个很可爱的名字，叫宝贝睡三天。两人来来回回喝了六大杯，阿翘觉得尿胀，摇晃着进了厕所，刚出来的时候，就被张同学按在墙上，这么多年，他的飞机头还是没变，一靠近感觉就能闻到浓浓的发胶味。

张同学一只手撑在墙上，眯起眼，两人的距离很近，近到能互相交换鼻息，但仅此而已。他们沉默了好久，没人知道那几分钟他们都在想什么。

世界上每天都有许多爱情故事发生，或遗憾，或悲伤，或幸福，或虚假，每个善男信女向空中抛出“我想爱”的信号，撞上了一些人，避开了一些人，经历了抛物线最高的高点，也落回最初的原点。当故事要结局的时候，才发现过去那些所谓遇见分离，最后都会化为平淡，再轰轰烈烈的我爱你你爱我，归根结底，都会落入平淡。

出发回阿翘家的时候已经接近零点，两个人已经喝到需要互相搀扶才能走的程度，上了出租车，阿翘努力想了好久才想起自己小区的名字，二人踉跄地进了电梯，到了十七层电梯门打开，阿翘走在前面，结果没站稳向后栽了一下，被张同学自然地牵住，她想起地震那年，没有牵的那双手。

阿翘想挣开，但对方牵得很紧，于是任由他整个人贴着自己。掏钥匙开门，但楼道光很暗，怎么都找不到钥匙眼，一股无名火蹿了上来。

张同学突然把阿翘扯向身边，然后大声说："阿翘，我……"

门在这个时候开了，不是阿翘开的，而是里面的人开的。

双鱼男穿着家居服站在门口，阿翘当下很清醒，但故意装醉地跟张同学介绍，这是她男朋友。

阿翘的最后一篇交换日记写着：

喜欢了你十一年，写了十一年的交换日记，有好几次，我真以为我们能在一起了，但最后都落了空，一直都觉得如果此生都没能跟你在一起，那也算是虚度了爱情。

不管我做了多少事，最后除了感动我自己外只能换你一声谢谢，这我能想到。

跟你称兄道弟是为了提醒自己，不要表露心迹，会很委屈，这我能想到。

喜欢你就已经失恋了，这些我都能想到。

我能想到所有的情况，直到此刻，唯独有一种情况，我预料不到，或许根本是我不够坚定，或许是被时间治愈得太完全，也或许我本该就待在我的冰河世纪，你好好生活在热带雨林，我百思不得其解。

就是有一天我突然不喜欢你了。

终于不用给你喜欢我的机会了。

张同学尴尬地杵在门前，直到双鱼男准备拉他进屋，他才让理智占据了上风，朝屋里的阿翘摆摆手，示意不进去了。

“很不方便哎。”他撒娇。

然后就强忍着酒精上头的涨痛，迈着大步进了电梯，他知道就算电梯门合上，阿翘也不会冲进来挽留他。

如果阿翘把交换日记都给了张同学，张同学会写什么呢。

或许他也会写很多：

小波当初告诉我你喜欢我，我蒙了，不知道怎么办，所以才会控制不住骂你是白痴。

高考拉肚子，因为公共澡堂又退学复读都是借口，回来想跟你一起毕业才是真的。

写了那么多状态，发了那么多照片，收到那么多赞，却少了你那一个，不爽。

其实我很孬，没勇气主动联系你，只好用你的QQ号百度你所有的信息，看到你在交友贴吧下面留了QQ，于是我申请了好多账号把你的帖子淹过去。

我觉得我不是喜欢你，而是习惯有你；我觉得我不是失去了你，而是失去了最好的青春。

没在一起，也挺好的，如果一早就在一起，或许我们也就不是我们了。

“你这个月发短信花了多少钱。”

“一百二，穷得已经把下周买模拟卷的钱先垫了。”

“哥养你。”

“那刚好游戏点卡也没了，不谢。”

“真羡慕你这么年轻就认识我了。”

“谁给你的自信啊。”

“哈哈，两点了，你还不睡哦。”

“失眠啊。”

“睡不着就打给我，我不关机。”

还好最后是你

在做完第五十个深蹲之后，苏雯倒在瑜伽垫上，觉得全身肌肉在排兵布阵集体抗议，这已经是她靠健身来麻痹自己的第十五天了，陪她一起来的还有从大学开始就混迹在一起的Emma，作为当红时尚杂志的主编，她健身的原因，不过是为了保持她打小就有的天然腹肌，以及跑到反胃之后，晚上不用吃饭而已。

苏雯在两周前接到出版社的通知，将不会跟她签订下一本书的合约了。从大学毕业后就以全职作家的身份出了三本书，大体上都是针对职场的青少年励志的书，但一本比一本销量差，总编说现在这样的心灵鸡汤泛滥，她需要那种能触摸到青春的文字，具体说，就是言情小说。但非常不幸的是，苏雯在高二跟同桌暧昧去学校对面吃过几次麻辣烫外，到现在连男孩子的手都没牵过，恋爱经验为零，24K黄金处女。但没吃过猪肉也见过猪跑，她一度看完了豆瓣上所有高分爱情电影，自信满满本以为会写出一个媲美《罗密欧与朱丽叶》那样的爱情悲剧，结果写出来的东西被Emma笑了三天三夜，点评为比《喜羊羊与灰太狼》更感人，比《泰囧》更催泪，比《士兵突击》更让她相信爱情。

苏雯闭着眼，额头上沁出一层密密麻麻的汗，想想当时出版了第一本书，亲戚朋友都把她以巨星规格对待，小日子过得像贴满了亮堂堂的金箔。如今世风日下，命运可谓是坐上了全世界最陡的过山车。

健身房外，下班时间的主路上已经堵满了车，喇叭声像是怪异的协奏曲吵得欢乐，司机们一个个黑着脸无声抗议，唯有坐在车后座的陆灿戴着耳机一脸轻松，坐在他旁边的同事阿欢，正翘着兰花指发朋友圈抱怨。等到他们那辆车缓慢移动到路中间的时候，陆灿看了看时间，诡异一笑，然后让司机抬表，没等阿欢反应，就把他拽出了车，牵着他往前跑。两个人一前一后穿梭在拥堵的车流中，被夕阳打上一层朦胧的逆光，若是加上一段音乐和慢镜头，应该可以媲美奥斯卡获奖动作片——阿欢被倒后镜撞上腰，痛得挂满一脸迎风泪。

他们跑了一条街才停下，阿欢一边操着一口浓重的台湾腔骂他，一边不停拨弄已经分叉的刘海。陆灿问他什么感觉，阿欢白了他一眼说，“神经病吧你，以为自己刘翔啊？”“少废话，我是问，爽不爽？你们女生被别人这么牵着跑，是不是特别带感？”陆灿扶住他肩膀，急切想知道答案。阿欢愣住，忍着腰痛把刚才的经历回想了一遍，意犹未尽地点点头。

陆灿一脸满足地拿出笔记本，边走边记录，少女心泛滥的阿欢又回味了片刻，然后才恍然，追出去用气沉丹田的奶声大喊，“陆灿你好讨厌哦，什么叫‘你们女生’！”

陆灿和阿欢，幸福体验师。现代男人的焦虑与恐慌，在工作繁重收入高的人群中尤为常见，他们除非遇上自己称心如意的人，否则绝不轻易谈恋爱，若是碰上一个情商爆表的成熟女性，那就分分钟闪婚，最怕的就是遇上胸大无脑，脸美但吵的 Drama Queen（作做女王），要是不小心掉入她们的桃花阵，势必没有富足的时间制造浪漫逗她们开心，而幸福体验师的工作，就是帮他们去体验各种浪漫生活，然后把最浪漫的方式告诉客户，提供最有性价比的惊喜方案。

陆灿靠着从小到大看过的庞大影视库，在狗血韩剧、悬疑美剧、婆媳国产剧里提取了无数灵感，加上平日里还有这个好朋友阿欢帮他体验，半年来业绩爆棚，成为同事们公认的恋爱高手，但他的说法是，能有今天这成绩，全仰仗于自己背后有个德艺双馨的女朋友，点子都是从她身上挖的。

对此，大家深信不疑，连陆灿一度都觉得自己真的有个女友。

“我不生气，不代表我没有脾气，我只是在等待适当的时机，一刀砍了你。”陆灿特别设置的说唱铃声响起来，他后背一惊，是那个更年期老板打来的电话。

苏雯接到小悠的电话时刚洗完头，来不及吹干，抓起鞋柜上的钥匙就冲出了门，与此同时，三公里外的 Emma 也从她的高档小区里开车出来直奔小悠的公寓。几分钟前，小悠哭着在电话里跟她们说，“我受够了，我要自杀，谁都不要拦我，我现在就去开煤气。”结果等她们在小悠家门口碰上面，几乎下一秒就要报警的时候，敷着面膜正在吃泡面的小悠缓缓打开了门。

那一刻空气凝结了。

在 Emma 刺猬病发作的当下，小悠识趣地大哭起来，眼泪哗哗地掉，面膜都劈了半边，小悠说她打开煤气灶的时候，突然感觉很饿，于是不想死了，便煮了碗泡面。不过，见到二位闺蜜之后的眼泪是真的，她说她死心了，要彻底跟她的男神告别。

小悠嘴里的男神，某偶像男歌手，小悠从初中就疯狂迷恋他，发誓今后一定要成为他的女人，大学为了他学的编导，毕业后想尽一切办法认识他，后来一次偶然的机会，成了他的生活助理。只要对方一有通告，就会带着小悠，看似梦想实现了大半，人生得以完整，结果付出了惨痛代价。因为男神说小悠太瘦，助理要胖一点带出去才有气场，于是小悠用半年时间增重四十多斤，胖得非常有诚意，外加上常年奔波，日晒雨淋的，原本一个成都白妹子，活生生折磨成了块黑炭，跟苏雯和 Emma 走夜路的时候，经常被她俩损，“咦，怎么有件衣服飘在空中。”

小悠说昨晚陪她的男神跟朋友聚会，其间一直有个野模聊骚他，结束之后各自回家，到了半路，小悠发现男神的钥匙在自己包里，于是折返回去给他。在小悠的心里，男神是负责帅的，干净美好得跟喝柠檬水一样，绝不轻易开荤，更不会在诱惑面前低头。没想到到男神楼下时，看见他竟然搂着那个野模进了自己的高档公寓。

说完小悠哭得更厉害了，Emma 绕过一堆零食包装袋和飞着苍蝇的外卖盒，把抱枕砸在她脸上，然后开窗户通风，她觉得这间屋里子的病毒能轻易把她杀死，她甚至想拿消毒水往小悠身上浇，顺便治治她脑回路的问题。

“你们能理解吗？失恋的感觉！”小悠拽着抱枕抽泣着。

“人家压根儿就没理过你，还失恋，你顶多算一低级病毒没了宿主，活生生等死罢了。”Emma的嘴一刻也不闲着。

小悠撇着嘴转头向苏雯寻求安慰，苏雯忙摇头说：“别指望我理解，就是因为无恋可失，结果现在失业了。”

“为什么，你那些心灵鸡汤不是挺多人喜欢的吗！”小悠成功被转移话题。

“是啊，现在是个人都能讲道理，我隔壁那家小孩，三岁就能把他妈说哭了，就连你小悠脑残的时候还能冒俩金句呢，道理多了就成了伤疤，谁愿意整天跟自己过不去啊！”Emma捏着鼻子夹起衣架上的袜子说。

这下换苏雯沮丧了。

“你啊，真该好好谈场恋爱，经历了一见钟情、激情、失恋之后，你的写作人生才可以完整，否则你真以为外面那些母猫动不动嗷嗷叫是因为痛经呢。”

“母猫也会痛经吗？”小悠问。

Emma想组织语言骂回去，但又觉得浪费口水，索性翻了一个非常饱满的白眼当作回应。

“我明天还是去找一下总编吧。”苏雯靠在沙发上，若有所思地说。

当地有一个叫“苏荷”的酒吧，每逢周四周六，有外国的辣妹表演，康康作为这些香艳情报的第一手线人，自然少不了组局宴请兄弟。陆灿跟康康小时候是同住一个四合院的邻居，第一次看黄片是康康带的，第一次吻女生是康康逼的，第一次谈恋爱也是康康牵的线，本以为两个人可以一辈子对酒当歌把妹泡，结果这个淫少半路成了富二代，高中没毕业就被爸妈送出了国，再回来的时候，成了陆灿和阿欢他们公司的风投股东，于是组成铁三角，自此江湖狼烟四起。

酒吧的人越来越多，陆灿喝了两口酒，在一边刷起手机。

“干什么呐你，有妹子不看，抱着手机意淫。”康康搭着陆灿的肩，按下他的手机锁屏。

“老板让我明天就交报告，我哪有时间写啊，又不想爽你约，就只能拼一下拿着手机敲了。”陆灿又按亮屏幕。

“我说兄弟，用不着那么努力，报告就算不交，你这业绩升总监也是绝对没问题啊。”

“谁知道。”陆灿的说音刚落，就被阿欢惊慌失措的尖叫给吓住了。台上的辣妹开始扭着屁股假模假式地脱衣服，阿欢挣扎着想看，但又不好意思，索性用手遮住眼睛，露出指缝偷看。

“你就这点出息！”康康敲了一下阿欢的头，阿欢嚷嚷，“人家害羞嘛！”“你再给我‘人家’一下，信不信把你扒了丢台上去！”康康暴躁地把阿欢的脸挤成一团。

陆灿笑着摇摇头，继续在手机上写起报告来。

第二天苏雯一早就到了出版社，殷勤地给总编带了她最爱的美式咖啡。

“给您加了脱脂奶。”苏雯把咖啡放在总编桌上，挂着一张刚格式化过的笑脸。

“说吧，想干什么？”总编把咖啡推到一边，不吃她这套。

“我就是想来跟您聊聊下本书的事。”

“不是都说不签了吗？”

“总编，您看我都已经写了一大半了，当时找来的那么多家出版社我都给拒了，您现在不给出，我确实尴尬，您说我一没工作的大龄女青年，不写书，我真的就要喝西北风了。”

“你喝龙卷风都跟我没关系，机会又不是没给你。你说说你，第一本可以写大学生找工作的心灵鸡汤，第二本是找工作的心灵鸡汤第二部，行吧，我忍。第三本了，你又是职场心灵鸡汤，结果我印了一万册现在都还堆在库房里呢，现在可是第四本了，你告诉我还要写鸡汤，人大学生喝汤也是要喝吐了吧，你的人生除了讲道理能有点别的花样吗，你怎么比我还无趣呢？”

“总编，我人生就是这样啊。”

总编越听越怒，从抽屉里抽出一摞文件拍在桌上，“这个是昨天青春部那边讨论出来的选题，你要想有出路，就转型写言情去，否则出门左转，前面有个收容所，里面住着舒服。”

苏雯看了看选题题目：爱情的感觉。她感觉脑袋缺氧。

“不写就放桌上，我有很多‘90后’作者等着出书呢。”

“写！”苏雯大吼。

“漂亮，给你一个月时间，逾时不候。”

陆灿的老板是个三十多岁的女强人，从小在单亲家庭长大，无比独立，对自己狠对别人更狠，大学靠全奖获得英国交换生机会，在英国遇上了现在的外国老公，生了小孩后，禁不住全职太太的寂寞于是回国创业，独辟蹊径开了个幸福体验公司，成了国内外杂志都争相报道的创意产业新兴红人。

老板在公司是出了名的辛辣刁钻，没人能逃得过她温婉笑容下的锋利匕首，特别擅用全世界通用逼死人不偿命的沟通黄金二字——呵呵——让你体无完肤。在陆灿交上熬了一整晚用手机赶出来的报告时，老板挂着老牌微笑快速扫了一遍，然后放到旁边，跟他闲话家常起来。

“陆灿，你今年多大了？”

“……二十九。”陆灿说。

“跟女朋友结婚了吗？”

“没、没有。”

“什么时候叫她来跟我吃个饭，你看人陪你体验了那么久生活，结果还没嫁给你，不应该啊，让我跟她聊聊。”老板手里来回转着中性笔。

“跟您说过，这丫头特别认生。”陆灿眉头微蹙，用力绷着一抹微笑。

“呵呵。”老板的笔掉到桌上，陆灿不敢讲话了，心里默默把眼前的画面按了静止，在时间暂停的间隙，他已经自动套上防弹装备，罩好安全帽，准备英勇就义了。

“你升总监的事儿，先暂时搁置吧。”

“……为什么？”炸弹在陆灿身边爆炸。

“下个月，有家知名电视台要给咱们公司做个特辑，深度记录幸福体验师和其女友的生活，带给观众十个最幸福的方案。大家推荐你和阿炳，但阿炳说把机会让给你，自愿退出。那个传说中给你立下汗马功劳的女朋友，该见光了，咱们公司能不能扩大宣传，就靠你俩了。好好表现，这事如果做好了，总监的位置给你坐，否则，呵呵。”

陆灿沉默，残缺的防弹衣掉下来，身上全是枪打的窟窿。

后来，陆灿碰见过同事阿炳，他眼神飘忽，在陆灿耳边悄声说，你葫芦里卖的什么药，我都知道。陆灿一身鸡皮疙瘩，平日的谎话终于有了报应，在一个月之内去哪儿找到一个三头六臂的女朋友，弄十个实在的方案呢。

Emma 和小悠说苏雯这么多年感情空窗的主要原因是太糟蹋自己，在所有女人开得娇艳的时候，甘心做一株杂草。二十多岁就穿妈妈们才买的衣服，用的护肤品也是广州工厂生产的那种，素面朝天，连起码的放电都不会，简直对不起胸前那让人艳羡的傲人双峰。于是在苏雯接受新书选题后，Emma 特意为她请来自家的造型师和服装编辑，立誓要改造丑小鸭，从根源上给她找写作灵感，彻彻底底把她丢给一个男人，感受爱情的冷暖，享受生活的馈赠。

当最后苏雯以一身超过七万元的行头现身“苏荷”的时候，路人都以为是哪个明星来了，那些穿 A 货的小妖精风光不再，眼睁睁盯着自己的金主们纷纷掏出手机偷拍苏雯。一旁的小悠也不闲着，穿着一身大红色的长裙，拎着 LV 包时不时挡住苏雯搔首弄姿，最后被 Emma 一句话打回原形，丧气地缩在她们身后，“再贵的东西放在你身上，也让人觉得你穷得不省人事。”

康康跟阿欢在“苏荷”里已经扫视一晚上了，目标是找一个四肢发达头脑简单的纯洁少女爱上陆灿，帮他解决后顾之忧。但陆灿不为所动，直觉出入这里的女生，就算把全世界最浪漫的东西放到她们面前，应该也只会问“多少钱”。

直到他看见苏雯。

“那个不错。”康康扬起下巴示意陆灿。

陆灿看着苏雯，若有所思地点点头。

“哥们儿，你尽管上，最后若是爱上了那就皆大欢喜，若是搞不定，等电视台录完节目，哥用钱把她打发走……”康康看到 Emma 拖起尾音，松了松领口，像看上猎物一般接着说，“旁边那个交给我。”

“那我呢？”阿欢小声嘀咕。

“那只送你。”康康指了指小悠。

“前面 9 点钟方向那仨男的看到没，那个摸领子的，一看就是纯种渣男，坚决不能收，旁边那个有刘海的，可能是个妹妹，依我看，就中间那个最正常。”Emma 给苏雯小声分析道。苏雯用余光瞟了眼陆灿，短发，长脸，简单的 T 恤衬得肌肉线条很好看，像是那些潮流杂志里的男模，标准的衣架子。

“他们过来了哎。”小悠躲到苏雯和 Emma 身后。

“别怕，这里黑，没人能看见你。”Emma 安慰她。

那晚他们简单寒暄之后，康康阔气地叫来两瓶威士忌，玩起真心话大冒险，传说中只要在这个游戏里亲吻的男女，势必会发现自己究竟想亲的是谁，而后或成就一段佳话。康康用尽所有招数撮合苏雯和陆灿，但两人就是输不到一起去，Emma 又从始至终保持高冷，没一个游戏能难倒她，最后都报应在自己身上，跟小悠亲得最开心，哦，还有阿欢。

在小悠第八次跟康康接吻之后，她已经记不清自己男神长什么样子了，她身体里的荷尔蒙急速分泌，以前看过的韩剧和春梦里跟男神发生的桃色片段全都自动脑补，她恨不得下半辈子给康康生无数只猴子。

到了后半夜，Emma 打了个激灵从椅背上坐起来，才发现自己睡着了，回头一看，阿欢醉得在一边唱京剧，小悠抱着康康的大腿躺在他裆部，两个人睡得十分温馨，苏雯和陆灿已不知去向。

“苏荷”的对面，夜宵排档还开着门，苏雯满足地吃完一碗蹄花，抬头见陆灿皱着眉辛苦地咬着一块猪蹄，结果肉没咬下来，掉到碗里溅了自己一身汤。

“吃蹄花要用吸的，”苏雯笑着撅起嘴教他，“喏，对着骨头这里。”

陆灿用力一吸，结果把自己呛到。苏雯忍住笑递纸巾给他，只见陆灿直接把脸凑过来，在纸上蹭了蹭。手指碰到他的皮肤，苏雯觉得自己肯定脸红了。

“你是做什么的？”陆灿问。

“哦，我啊，自由职业。”

“哇哦，所以是富二代？你这拎包我在杂志上见过，人民币后面得跟四个零吧。”

“哈哈哈，这都是跟 Emma 借的，我就是一文字工作者。”

“明白，职业水军，”陆灿笑了笑，“或者是点评化妆品的，你们女生都爱这个。”

苏雯用大笑来掩饰尴尬，“你就当是给 Emma 他们杂志做外援的吧，那你呢，做什么的？”

“我啊，逗女孩开心的。”陆灿没好意地笑。

苏雯也笑。

“你今晚开心吗？”陆灿问。

苏雯点点头，拨弄起碗里剩下的蹄花汤问，“所以，要付你钱吗？”

两个人又继续笑，眼看气氛稍微有些缓和，突然 Emma 打来了电话，苏雯借口上厕所躲到大排档的小隔间里。Emma 问她战况如何，她说在对面啃猪蹄，能感觉到对方白眼翻到了天灵盖上，Emma 义愤填膺地说，“主动！看上眼了第一招就是想办法跟他回家，亲亲抱抱即可，绝对不能让他全垒打，第一晚是女人的黄金矜持期，也考验一个男人靠不靠谱，第二晚你再大大方方给他上，好肉煮熟了再吃，对你没坏处！”苏雯听完有点头晕，好像刚刚喝的酒现在才起了反应，于是跟 Emma 说自己感觉有些醉了，Emma 赶紧补充，“很好，就是要醉，假装醉到不行，说没玩够，说要跟他走！”苏雯头更晕了。

苏雯扶着墙出来的时候，见陆灿趴在餐桌上，把他叫醒后，他居然喊头痛说起胡话来，苏雯整个就呆住了。陆灿嚷嚷着还没玩够，苏雯眯起眼睛，也假装微醺起来，配合他说，那我们去哪里啊。陆灿身子开始晃悠说，去我家吧，我家酒多，继续喝！苏雯茫然地盯着他，吞了一口口水，说，“好啊！”

陆灿的家不大，简单的一居室，墙壁刷成湖蓝色，家具又是干净的白，像是到了希腊。到家后的陆灿借口去厕所，打电话给康康，刚才用了康康说的办法把苏雯带回家，接下来他不知道要怎么办，想说电影里这时两人已经啃上了。康康说，“点到即止，如果对方对你一见钟情不可自拔，那你就扑倒，戴好套，拒绝一切创造新生命的可能，”陆灿刚想问为什么他声音那么抖，就听见小悠放浪形骸的喘息声，陆灿撇起嘴，“康康你不会吧。”康康清了清嗓子说，“我不入地狱谁入地狱，做男人吧，得把大爱洒向人间啊啊啊啊。”然后电话就挂了。

“第一次跟男人回家的感觉，像是要打一场明知道肯定会赢的仗。”苏雯在手机里记录心情。

“在做什么？”陆灿拿了两块熏香蜡烛出来，问她，“薰衣草味道的喜欢吗？”

苏雯把手机藏在身后，点点头。

他们看着点燃的蜡烛，在床头坐了有十分钟，直到两人心里的闹钟同时响起来，才转头开始热吻对方，陆灿用手抚摸她的身体，苏雯起了一身的鸡皮疙瘩整个人贴到他身上，钩住对方的脖子，二十多分钟后，陆灿突然松开嘴，问她，“觉得浪漫吗，刺激吗？”

苏雯愣住，脑子里掠过很多高级词汇，但最后脱口而出，“非常浪漫！非常刺激！”

然后二人就结束了，背靠着对方乖乖躺在床上，苏雯掏出手机记录，“舌吻的感觉，就像是吃着刚出炉的起司蛋糕，表面起伏不定，口感绵密得像奶油，但有人规定你只能吃一口，于是咂吧几下吐出去，过会儿再吃一次，直到化掉。”

陆灿也在一旁写下，“带女孩子回家，点蜡烛，主动吻她，她会感觉浪漫。”

他们简直可以入选史上最有科研含量的邂逅。

天雷勾动地火，正中双方下怀，苏雯和陆灿自然而然在一起了。陆灿把在电视剧里学到的桥段悉数用在苏雯身上，为苏雯精心制作了“灿爷美食地图”，把自己这么多年在这座城市里吃过的获五星好评的餐厅全部标记了出来，结果苏雯不爱那些山珍海味，就爱吃黄焖鸡米饭，害他变成人肉外卖，大老远跑到二环上最出名的那家店买一份黄焖鸡米饭。生活上苏雯是个很无趣的宅女，晚上写东西，白天大部分时间都在补觉，陆灿想学文艺片男主角在她家楼下举着一捧蓝色妖姬送惊喜，结果等了一天，花都蔫了，苏雯还在睡觉。好不容易出门约会，在人潮最汹涌的百货公司前，他打开车后备厢，粉色的氢气球飘出，结果其中一个在苏雯脸上炸开，还惹来了保安。他把那些客户高赞的情侣 App 介绍给苏雯，私密聊天，心想女人都爱坏坏的男人，于是有时候正经得像个三好生，有时候又色得翻江倒海，奈何苏雯完全不解风情。连让阿欢曾经充分肯定的在拥堵的车流里奔跑，跑完整条街，苏雯送来一脸鄙夷，因为下一条街更堵，且还没空车。

陆灿引以为傲的浪漫招数，在苏雯身上全军覆没。

不过苏雯倒是觉得陆灿满身萌点，看他每天为自己忙碌的样子，感觉就像面膜取下来发现皱纹变浅了，像终于变成了吃多少都不胖体质，像是眼睛里感觉颜色的那部分机能失调，路上的行人树木高楼都褪成了灰色，只有陆灿是彩色的。

原来爱情这么容易获得，也这么美好。苏雯觉得自己这二十多年感情空窗，遇见陆灿之后，全都值得了。

七夕节那天，苏雯和陆灿像普通情侣那样约会、逛街、看电影。电影看到一半，突然陆灿把牵着的手收回去，苏雯转过头，发现他抹了把眼泪，电影里白百何得了癌症，彭于晏抱着她哭，苏雯心想，真是一个泪点低的男人啊。结束后为了让他收拾心情，苏雯提议去玩密室逃脱，难得没说回家宅着，陆灿欣然答应。后来到了才知道，苏雯选的密室主题是个日式鬼屋，叫“魂之盗夜”。

信誓旦旦说罩着他的苏雯在进去后的第一个房间，就被房顶掉下来的皮球砸到脑袋，开启了全程尖叫模式，缩在陆灿身后看他镇定地解密。

后来两个人被困在第三关，阴森的房间里只有一盏吊灯亮着，陆灿怎么也找不到线索，开始敲起墙壁来。

苏雯紧贴着他，转移话题缓和心情，“你刚刚为什么要哭啊？”

“白百何哭得太丑了，吓的。”

“噗，真想向她的脑残粉举报你。”

“嘘……”陆灿把手指放在嘴唇上，苏雯见状立刻扑到他怀里不敢说话。果真墙壁有一块是空的，陆灿用力一推，整面墙连着他们两旁的墙壁向前移动，身后露出了最后一间房的通道。

“因为我觉得很可惜，两个原本能走在一起的人，最后走散了，是世界上最遗憾的事情。”陆灿进去之前，对苏雯说。

最后一个房间，放着几个穿着和服的无头人形模特，等他们把地上带锁的盒子打开时，模特突然动了一下，只见房间的天花板慢慢朝他们压下来，苏雯吓得已经长在了陆灿身上，她看盒子里的画布上画着一个小女孩跪在和服模特面前，模特右手上扬，左手摸着小女孩的头，于是让陆灿赶快抬起模特的右手，自己则跪在地上，怯生生地抬起模特的左手，一下下摸自己的头。

结果当然没有反应。

天花板越来越低，情急之际，陆灿发现面前模特的衣褶和画上的前后顺序反了，于是不慌不忙地调整好衣服，密室的门就开了。

苏雯披头散发地被陆灿牵出去，她说她再也不玩密室了。

吃夜宵的时候，陆灿问她，去鬼屋浪漫吗，苏雯一口水差点没呛着，正想说一点都不，但想想躲在陆灿身边的感觉又换了口风，不一样的浪漫。陆灿会心一笑，在手机上记下，“一个女人喜欢你，其实不在乎你们去了哪，做了什么，而是跟你在一起的时候，你有没有让她觉得，你是在乎她的。”

“你在写什么啊？”苏雯问。

“哦，写一点心情。”

“什么心情？”

“记苏小姐跪在女模特前，监视器旁的密室工作人员笑成狗的一天。”

苏雯哈哈大笑，觉得面前这个男人，实在是太可爱了。

那晚苏雯在电脑前，起笔新的故事。女主角是一个没心没肺的小白领，偶然在某个酒局上玩大冒险认识了男主角。她写道，跟男主角恋爱之后，她就像小狗遇见主人，那笑得叫一个蠢啊。

是啊，恋爱没有别的感觉，她未雨绸缪想象的所有情节最后只退化成一件事。

看着陆灿，傻笑。

康康三十岁生日的时候，请好兄弟去香港旅行，还盛情邀请了 Emma 和苏雯，他的主要目的当然是泡 Emma，但到了机场后，小悠左手抱着一个嘻悠猴的公仔，右手拖着一个屎黄色的行李箱跳到他身上，嗲嗲地说不舍得花康康的钱，就自费跟了过来。虽然康康恨不得立刻把这只女版包青天就地处决，但为了在 Emma 面前保持一个“中国好男人”形象，认栽地对小悠露出专业的八颗露齿笑。

陆灿早就做好了四页纸的攻略，准备带苏雯度过一个难忘的假期，这下两两配对，只剩下阿欢和 Emma。阿欢除了蹭旅行外，最重要的目的是去看张智霖在红馆的演唱会，他跟 Emma 说，以前对他是喜欢，后来演了《冲上云霄》后就是爱了，纯羡慕又嫉妒的那种爱，Emma 说，得了，想拥有的那种爱还差不多。

张智霖演唱会那晚，阿欢早早就到了现场拍照装 ×，演唱会开始后，见旁边的位置没有人坐，便索性一屁股坐中间，呈大字形看演出。张智霖第一首歌唱毕，有人拍了拍他的肩，说屁股挪过去点，他转过头，Emma 露出一张被老公捉奸在床的脸。

“我是无聊才来看的啊！”Emma 红着脸解释道，结果当晚每首歌她都跟着张智霖边唱边哭，唱到《岁月如歌》的时候直接现了原形，她说，你知道吗，我有那么多艺人朋友，但在他面前，我就永远有那个粉红少女心。

于是两个人挥着荧光棒一起陪他唱。

后来是 Emma 渴了，坐在外面的阿欢自告奋勇去买水，结果这个路痴出去后找不到回来的路，一个人蹲在门口听完了全场。结束后发现手机没电关了机，他四处张望找不到 Emma，便拿着给她买的水出去了。

阿欢在红馆外的十字路口准备打车，听见Emma在后面叫他，“你是白痴吗，我打了你十几通电话，一个人走了也不跟我说一声，这么不靠谱，真不敢相信我跟你是同一个物种！”阿欢被他喷得委屈，他说，“我以为你走了，我想你也不会愿意跟我一路回去啊。”Emma皱着眉，“你又不是病毒，我干吗不跟你一起回去？”阿欢说，“我喜欢女生的，刚刚你激动的时候拉我的手，我都会害羞的。”Emma尴尬起来，她说，“你能换个例子吗？”然后招手拦了一辆出租车，坐上了后座，阿欢愣在车外不敢动，“进来啊！白痴！”Emma又骂他，阿欢立刻蹑手蹑脚地坐到她身边。两人全程没有讲话，直到阿欢把矿泉水递给她，Emma看着已经被捍皱的包装纸，抬眼对他说了声“谢谢”。

也是这个晚上，康康把小悠送给他的嘻悠猴从酒店窗户扔了出去，他对着小悠大喊，“这位巨婴，一夜情而已，你情我愿的，第二天就各找各妈了，你真不用上我这里找奶，你真以为我是跟你谈恋爱呢？”

小悠哭着冲出康康的房间，这时男神打来了电话，问她最近这段时间怎么不上工，她抹了把泪，回头看了眼幽深的走廊，然后对男神说，“对不起，我要辞职了。”

洗完澡出来的康康听到门铃声，他从猫眼里看了看，没人，以为是恶作剧，转身又觉得不对劲，打开门的时候，地上放着那只被他扔出去的嘻悠猴。

第二天，苏雯和陆灿脱离购物的大部队，去迪士尼乐园过二人世界，一进园，两人的心理年龄就瞬间低了二十岁，又是跟人偶拍照，又是在各个娱乐项目间兴奋地尖叫。在坐了三遍“飞越太空山”后，苏雯哑着嗓说她好幸福。

因为苏雯喜欢怪兽大学的苏利文，于是后半段的行程基本都在纪念品商店里买买买，苏雯选得开心，在一个钥匙链上犯选择恐惧症时，回头想寻求陆灿帮助，陆灿却不见了。

五分钟前，陆灿在纪念品店门口看见一个穿黑裙子的长发女人，他抛下苏雯去找她，结果因为下午五点的花车游行被人群冲散，等到人群散去，长发女人却消失了，他心里被封存许久的感情抽丝剥茧，焦急地四处张望，后来在广场上一个卖气球的工作人员那里再次看见她。

她正抱着一个两岁大的小孩，跟一个儒雅的中年男人在一起。

陆灿跑过去，拍那个女人的肩膀，叫了一声“韩沁”。女人转过头来，陆灿发现是自己认错了人，但她从眉眼、身段到气质，确实特别像他以前认识的那个人，便不知不觉中一直盯着她，站在她身边那个看着像是她丈夫的中年男子见状护住妻儿，警惕地把陆灿逼向一边，睥睨着眼神像是随时要开战一样，这时站在对街的苏雯，也看到了这一幕。

康康问过陆灿，你放下了吗？自从韩沁患脑癌过世之后，你有从阴影里走出来吗？

五年前在陆灿求婚的当夜，那个青梅竹马的韩沁毫无征兆地倒下了，一睡就是一辈子，剩下陆灿在最需要人陪的时候独行。经历了消沉的那段日子后陆灿突然明白了，他说人到最后终究还是一个人，没有人有义务陪你，为你负责，于是任凭多少人在他身边来来去去，他也不曾停下有些许留恋，一晃就是五年。

康康问，“兄弟，你对苏雯认真了吗？”

他说，“我不知道。”

“我觉得她是真喜欢你。韩沁的事过去这么久了，能放下就放下吧，扛着沉，哥们儿看了心疼你。”

从香港回来之后，苏雯就消失了，除了不间断地微信回绝陆灿吃饭的邀请，便再无音讯。陆灿回归到朝九晚五的上班族生活，看着已经记满笔记的本子，问过自己无数遍，喜欢苏雯吗？从一开始就把对方当作筹码，让她喜欢上自己，给公司交差，最后好聚好散，要换作以前的他，肯定是做不出来的，但现在默默跟康康上了贼船，也变得这么不负责任了。

若仅是收集十个浪漫感受，那怎么会收集到现在，有种怅然若失的感觉，倒不是可能面临着没有女友录节目的窘迫，而是在为对方做了那么多以前没做过的事，突然停滞，感觉茫然起来。

“我不生气，不代表我没有脾气，我只是在等待适当的时机，一刀砍了你”，老板的夺命电话一响，陆灿的思绪从几千里外奔回来，他看了看表，不知不觉到了下班时间。

办公室里，老板把客户的反馈扔在桌上，她轻描淡写地说，“这个月的电视台特辑如果没搞好，总监的位置就给阿炳吧。他业绩比你差，但客户评价都很高，你知道为什么客户给你的评价越来越差吗？因为他们说你的浪漫越来越难实现，你跟你那小女友每天生活得有这么惊心动魄吗？你是很努力，努力到九分又怎样，别人往往只看得到你做得不好的那一分。有时候，选择比努力更重要。”

陆灿灰头土脸地出来，在电脑前发了会儿呆，在同事们准备收拾下班的时候，一个送花的快递进公司，叫了陆灿的名字。

一大捧雏菊，没留名。

同事七嘴八舌开他玩笑说女友品味挺特别啊。

后来这捧雏菊只是冰山一角。收到雏菊的第二天，陆灿又开始收到各种便当，从川菜、杭帮菜到寿司、烤面包，虽然这些便当跟餐厅里做的有差距，但每份食物都有种奇妙的熟悉感。最夸张的一次是某个加班的晚上，收到一大份包裹，上面写着“米歇尔的深夜急救箱”，字下面画着一个大大的红“十”字图案，他打开箱子，当场就跪了，原来是一个点心盒，里面放了他所有爱吃的零食。

吃到话梅的时候，他就哭了。

想起雏菊是他跟韩沁去公园踩鸭子船的时候，看见水上漂着的，陆灿全部捞起来，他说，最喜欢这个花；想起那些便当，是这座城市里他跟韩沁最爱去的餐厅的招牌菜；想起急救箱里的零食，费列罗是韩沁以前嫌贵，每次只吃一半，把另一半留给他的，话梅是陆灿一烦心的时候就会吃的东西。

他以为韩沁回来了，于是第二天发了疯地从快递那里寻找寄件人的蛛丝马迹，最后来到了苏雯的公寓前，看着她拎着几袋蔬菜回家，纤瘦的身子像一道阳光打下来的阴影，到了暗处就散了。

他后来才恍然，他跟苏雯在花店前买多肉植物时，自己在雏菊前发了好久的呆；那些便当的菜系，是他送给苏雯“灿爷美食地图”里的；费列罗是他们逛超市，自己拿起来看看又放下的。所有失落的细节，原来早被苏雯看在眼里，以为这些都是他喜欢的。

做着幸福体验师，结果被对方制造着浪漫。

说起当初从事这一职业，像个情场老手教客户制造浪漫，其实也是为了弥补对韩沁的亏欠。跟苏雯在一起后，自己原形毕露了，其实，他根本不懂如何让爱的人真正幸福，他才是爱情里失意的一方，根本无计可施。

那天陆灿直接到了苏雯家里，看她拿着菜刀一脸惊讶，家里凌乱得像刚被偷过，满屋的油烟味。陆灿把她抱在怀里，问，“你消失这一周，就躲在家里做菜啊？”她说，“不然呢，让一个只会吃的人做菜是很不容易的。我忍住没有去问康康你过去的事，反正从香港回来后，我就觉得，不管你过去怎样，至少在此刻，你是我的陆灿，此前跟你在一起，我都在明白获得，现在，我只想专注付出。”陆灿抱着她，心里全是自责，或许现在只有这个拥抱，能化解所有的尴尬和眷恋的过去。

晚上陆灿没有走，他们躺在床上，保持静默，放着轻音乐，熏香味道很浓，像是马上要进行一场仪式。苏雯感觉全身发烫，从没这么紧张过，听 Emma 说第一次会很痛，她这个连打针都害怕的人，万一过程中扫陆灿的兴怎么办。除了自己的胸还能争口气，她对自己的身材一点自信都没有，印象里看过一次陆灿裸上身，标准大胸六块肌，如果看到她的肚腩，会不会以为要跟一包子做爱？转念又想，就要正式拥有这个男人了，便莫名多了一份变态的期待，她听到自己肚子嗷嗷叫，像是十年没开荤的色坯，看到小羊羔自己把自己烤熟挂架子上，哈喇子流了一地。

苏雯的心脏快跳出来了。这时，陆灿打起了呼噜。

色坯现在想自行了断。

与此同时，在康康家的别墅里，从跑步机上下来的小悠一身大汗地黏在康康身上，这已经是她住进别墅的第三天了，尽管康康说他只是动了恻隐之心收留了一只流浪宠物，哦不，流浪野兽，但小悠仍然活在自己的粉红色世界里，甘心一辈子缠着她的主人。她用身体乳把自己涂成一块发亮的黑森林蛋糕，然后穿着玫红色的睡衣像一尊被烤焦的卧佛躺在床上，等康康洗漱完出来，差点没被这个场景吓死。他坐在床上，再三强调，“我不喜欢你啊，只是作为一个靠谱男人，负责照顾你的。”小悠仰起脑袋，露出脖子上的“米其林”，妖娆地说，“那我就是负责乖乖怀孕的。”

“你给我死开啊……”康康话没说完，就被小悠环住脖子，把他按倒在床上，随后整个房间传出康康银铃般的笑声……和叫声。

陆灿没有再每天变着花样地想浪漫招数，而是顺其自然地跟苏雯相处，没工作的时候就在家陪她看电影，也不再费心研究什么美食地图，而是偷学了黄焖鸡米饭，在家做给她吃。苏雯看书，陆灿打游戏，即便不说话，也不觉得尴尬。陆灿很久没有在他的笔记本上记录了，最后一次，还只写了一句话：最好的浪漫，就是平淡地相处。你知道对方就在那里，很踏实，所有的时间都得以安放，像是忘记你们正在谈恋爱。

终于把身体送给陆灿之后，苏雯刻意避开他，在家赶了一天的稿子，新的小说已经快临近尾声。她写道，女主角第一次跟男主角亲热，感觉就像是吃了一大口中心无籽的西瓜，像是在炎热的盛夏突然飘来一朵下着雨的云，像是恐高患者站在来回晃动的木桥上，又兴奋又害怕，很想跑起来。

晚饭后，两个人窝在沙发上看电影，苏雯躺在陆灿怀里，不知不觉就睡着了，再醒来的时候发现陆灿一直默默地看着她，苏雯虚起眼，把脸贴在他的胸膛上，害羞起来。

“再过几天，我们就在一起满一个月了。”陆灿的声音很温柔，像是在讲一个秘密。

“是啊，好快。”苏雯若有所思地点点头。

“能答应我件事吗？”

“嗯？”

“明天去见一下我老板。”

“啊？为什么？”

“她跟我一样，期待你的出现很久了。我必须要让她看看，我的女朋友有多么优秀。”陆灿笑起来，瞳仁在客厅昏暗的光线下闪着光。

“灿，我想跟你说个事，关于我的职业，其实我不是 Emma 的外聘编辑，我……”苏雯刚想说，便被 Emma 的电话打断了。

电话里 Emma 声音很低沉，她说，“我出车祸了，现在走不了路，你不用大惊小怪，也别哭啊，你玛姐福大命大，现在什么都好，就想喝碗排骨汤，你今晚好好睡个觉，明天来医院陪我。”

也正是这通电话，把苏雯和陆灿看似趋于平淡的生活，翻起了波澜。

第二天一早陆灿醒来的时候，苏雯已经走了。

苏雯拎着从Emma最爱的中餐馆里打包的排骨汤，敲开病房门，看见Emma右腿被挂在半空中，躺在床上像个少女一般撅着嘴，阿欢在一旁喂她排骨汤，见苏雯进来，阿欢吓得直接一勺倒在了Emma身上，Emma大叫着，“白痴，烫死我了，你是要谋杀吗！”

“好像我这碗有点多余啊。”苏雯把排骨汤放在桌上，打量了一下他们，心想一大清早千里送汤，这俩啥时候成好姐妹了。

“小悠跟康康去厦门了，让他来照顾我，姐妹情深。”Emma搂住阿欢的肩膀解释道。

嗯，她一定懂读心术。

见到苏雯后，Emma的刺猬病复发，前前后后骂了一个小时，声情并茂地讲自己是如何开车碰到一只野猫结果方向盘一转撞树上的，骂到动情之处，还拍了一下自己的右腿，结果痛得嗷嗷叫，没想到阿欢反应神速，起身安抚Emma，还倒了杯白开水递给她，让情绪冲到顶峰的Emma当场就怒了，她嚷嚷，“生病喝白开水，痛经喝白开水，我腿骨折了也让我喝白开水，白开水这么解百毒，人白开水知道吗！”

“人家是看你讲了这么久，口干嘛。”

“舌头捋直了再说话。”Emma凶他。

苏雯听着他们俩一人一句，生病、痛经等关键词往脑子里灌，她需要时间以及空间来消化这个不争的事实。两个人越说越欢，直接拌起嘴来，苏雯正想找机会开溜，Emma对阿欢吼道，“你还不去上班，以为公司是你开的啊。”阿欢一听急了，吼回去，“你信不信我跟我们灿爷一样也找个女朋友上电视，分分钟当领导，到时候我就杵这儿天天陪你。”

“你咒我一辈子走不了路是吧！”Emma 的京腔冒出来。

“阿欢，你刚刚说什么？”苏雯问。

陆灿给自己做了早餐，还没吃两口，老板的夺命电话又打来，让他现在立刻改一份方案，他欣然答应，顺便跟老板约了下午的时间，要带女友见她。

陆灿打开苏雯的苹果电脑，因为不太习惯苹果的操作系统，点开 PPT 的时候，不小心把未保存的文档也滑开了，是苏雯的稿子，他正准备关，偶然看见上面写着完稿于 2014 年 10 月 20 日，于是鬼使神差地读了几段。

情节好熟悉，情感好熟悉。随便打开几个便签，也全是跟他相处的心情记录。别人的名字，自己的故事，

陆灿去公司前给苏雯打了个电话，对方关机。他心里觉得空落落的，打不到车，便落寞地进了地铁，地铁里有跛足眇目的乞丐，陆灿取出钱包，给了乞丐三百块钱，顺带把他跟苏雯在迪士尼城堡前拍的拍立得也一起给了他。

整个下午，陆灿都消沉地躲在自己工位上，下班前老板叫他去了办公室，问他，听节目编导说女友掉链子了？他把笔记本藏在衣

兜里，只是远远地站着，像个犯错的小孩一言不发，两个人僵持了一会儿，老板没了耐心，起身准备离开，办公室的门突然开了。

阿欢佝偻着背走到办公室里，故意躲开陆灿的眼神，悻悻地跟老板说，“老、老板，陆灿的女朋友来了。”

两手插在风衣口袋里的苏雯，出现在门口。

陆灿后来怎么也记不清那天苏雯说过的话，只记得她淡定地跟老板寒暄，还让他把那本笔记本拿出来，一页一页地翻给老板看，上面全是让她幸福的方法，远远超过十个。

没有哪个女人能招架得住这样一个懂得浪漫的男人。

和消费感情的混蛋。

她甚至还录了那个电视台的节目，全程像没事似的，对着镜头一直夸他，陆灿几度想终止录像，但看着摄像机背后的老板又退缩。录制结束后，陆灿拽住苏雯的手让听他解释，结果那些“虽然开始是目的，但结局是真爱”的告白也变成牵强的说辞，苏雯就是接受不了，勇敢付出的爱情，竟然是一大盘棋局，今天来录了节目，就不欠他了。陆灿也觉得委屈，抠着脑袋来回踱步，一冲动指着苏雯大喊道，“我看过你的稿子了，也看过你的选题策划书了，你明明是写书的，为什么要骗我，为了感受什么叫真爱拿我当试验品？那请问我给你创造的灵感还好吗？或许我们可以再轰轰烈烈一点，你也好有更多素材！”

“所以你要给我什么素材？”苏雯满脸是泪。

陆灿向空中摆摆手，然后头也不回地走了。

下班时间的路上，满世界都是行色匆匆的路人，他们路过了多少悲伤与相聚，看见情人接吻，爱人吵架，早已练就得不动声色，仿佛只是早上路过煎饼摊，看见店主刚出炉一块香喷喷的煎饼。这个城市太大了，每天有多少爱情故事上演，相聚离分，“我爱你”与“我恨你”不过是转眼一瞬。

《重庆森林》里说，不知道从什么时候开始，在每一个东西上面都有个日子，秋刀鱼会过期，肉酱也会过期，连保鲜纸都会过期。我开始怀疑，在这个世界上，还有什么东西是不会过期的？

苏雯看到这儿的时候，问过陆灿，如果两个人足够爱对方，爱情应该不会过期吧。

陆灿当时没有回答，他在心里默默想，爱情，无非就是铠甲和软肋，坚硬到可以匹敌世间万物，也能脆弱到分秒之间便归于破败。

只是他没想到他们之间会以这样的方式，宣告破败。

苏雯失魂地在路上走着，两个匆忙的情侣从她身边跑过，女的对男的吼，“就跟你说该打的啊！电影都开场了！”男的无奈，“是谁睡到现在才起来啊？”

她面无表情地向前走了两步，看见陆灿平时最爱吃的那家餐厅排起了长队，一男一女在点单，男的怪女的菜点少了，女的噘起嘴说，“干吗，减肥不行啊？”男的笑道，“你九十多斤还减肥，让体重超过三位数的其他女人怎么活啊？”

一阵秋风经过，苏雯觉得冷，把手放进风衣口袋，正准备走，看见鞋带松了，她蹲在地上，把鞋带一圈圈系上。

回到家里，苏雯再也忍不住，泪水滂沱，她意识到一些很严重的事，就是不会有人对她吼“是谁睡到现在才起来”却耐心地等她睡饱，也不会有人跟她说“你其实一点都不胖”，她跟那个每次都帮她系鞋带的男人在一个小时前告了别。

就像是本来生活里所有地方都充斥着的回忆，突然之间跟你一点关系都没有了，曾经一同走过的地方、一度养成的习惯，全变成了伤疤，一碰就疼，此前天地都不怕，现在最怕回忆翻滚。

感觉自己的人生，突然变得突兀起来。

苏雯打开电脑，重新改写了小说的结局。

电台随机播到华语情歌，苏雯边写边哭，因为由始至终都是谎言，女主角最后跟男主角分开，自此，这个世界上的电影都只有一个主题，吃过的东西说过的话亦不能再提，当时听不懂的情歌，到现在都有了意义。

Emma 出院那天，苏雯和阿欢都来了，Emma 看见阿欢就跛着脚用手包砸他的脑袋，嚷嚷着你们这些做不法勾当的渣男都去死，看起来是誓死站在苏雯这边，结果转头看见一个高个美女朝阿欢走过来，殷勤地牵住他的手，跟阿欢献殷勤，说是以前的客户，Emma

就受不了了，像是见到紫薇的容嬷嬷，愤懑地叉腰横在他俩中间，仰起头用鼻子指着高个美女问，“你谁啊？”

高个美女答，“我是 Sophia Lauren。”

“你是什么玩意儿？”

高个美女尴尬地翻着白眼走了。

阿欢和 Emma 都笑了，突然 Emma 脸色一沉，阿欢忙像照顾小主一样点头哈腰地扶她。

他俩向前走了两步，Emma 才反应苏雯还在后面，回过头想说抱歉，苏雯笑着向她摆摆手。

真好，女王最后也有了归宿，她披荆斩棘，扛着一身的氟利昂气息爱过无数金主富二代，最后拜倒在一个小太监身上，也不失为最好的结局。

往往意想不到的才难忘，男女互补才是天生一对。

想想也是几天前，小悠从帕劳打来国际长途帮她疗情伤，说跟康康的环球旅行计划正在往南半球扩展，还说在帕劳碰到了自己的男神，康康非常男人地在男神面前亲了她，男神现在就是一坨翔，她说自己现在瘦了二十斤，挂电话之前，还说，苏雯，康康向我求婚了。

两个月后，陆灿向老板递交了辞职信。

老板很诧异，劝他好不容易坐上了总监的位置，好好考虑，他婉言谢绝了。交完辞职报告，便马不停蹄地收拾工位，他看见自己脚底下的那个空落落的“米歇尔的深夜急救箱”，一阵回忆翻上心头。

想到那天看到这些零食，终于愿意放下韩沁的时候，他就在心里对自己说，冬天赖床的时候，明明已经醒了，也知道不能再睡了，但还是舍不得温暖的被窝，那时觉得没关系，就再睡一下吧，因为你知道，你总会起床的。是时候起床了，外面有一个更值得拥抱的人。

当时苏雯在自己怀里问他爱情会不会过期，他确实犹豫过，也确实想过他们有一天会因为一些事变得陌生，只是想不到那么快就抱不到佳人，到了保质期的爱情，瞬间就变成记忆里的美好。

他其实好不甘心，觉得自己特别幼稚。

陆灿离职后，老板无意中看到他的辞职信后面贴了一张纸，明显是从他的那个笔记本上撕下来的，上面写着陆灿的笔记。

“最好的浪漫，就是平淡地相处。你知道对方就在那里，很踏实，所有的时间都得以安放，像是忘记你们正在谈恋爱。”

“所以我们这个工作，其实早可以废了。”

“陆灿你是死了吗，这么久才接电话！”电话里Emma尖利的声音把半梦半醒的陆灿直接抓回现实，宿醉的脑袋传来一阵钝痛，他歪着头，有气无力地听着Emma说话，“苏雯要走了，说是回老家，她那本小说根本就没交上去。我跟你说姓陆的，你做多少混账事，跟她随便怎么分手都行，但你现在弄得她要活生生从我身边离开，我就不乐意了。”

陆灿沉吟半晌，问，“什么时候走？”

“刚给我打的电话，人都在路上了！”

陆灿腾地坐起身子，不管乱成一团糨糊的头发，套上羽绒衣就奔了出去，一到楼下，视界里白茫茫一片，这是入冬以来的第一场雪。

路边没有一辆空车经过，最可恨的是连黑车都没有，他把手伸进袖子里，狠狠打了个寒战。

跟 Emma 通过电话之后，苏雯就关了机，她看着雾蒙蒙的车窗发呆，手里拎着一捆书，都是她之前的作品，昨天这个时候，她到出版社跟总编见了一面，总编问她为什么在两个月期限到的那晚，把发来的文稿邮件撤回了，她说，很多事，自己知道就好了。

苏雯说，那些潸然泪下的爱情故事她真的写不了，既然取悦不了更多的人，那她就选择让自己开心吧，不能印刷成书，还有微博博客很多可以写东西的地方，随手写写心灵鸡汤，做自己的太阳也好。

苏雯写的这部爱情故事，被永远尘封在自己的硬盘里。

在她改过的那个结局里，女主角说了这样一段话：

多希望现在认识你，而不是当初，我不知道你有没有真心喜欢过我，但没关系，因为我爱上你了。

在爱情面前，我们都不是好人，不然我怎么会允许你就这样从我身边离开，而我也不敢在你背后大声叫住你，“请再看我一眼，再抱我一次。”纵使此生我们都不会再见面，但我仍希望你过得好，至少比我好，不然我会不开心。

如果最后一定要说什么来终结我们的故事，那就三个字吧。

对不起。

出租车堵在二环。

苏雯用手抹开车窗上的水雾，一片雪花粘在窗上慢慢融化，恍惚间看见前面有一家黄焖鸡米饭，那是陆灿经常为她打包的店。

苏雯看看表，对师傅说，放我下来吧。

时间过去二十分钟。

在陆灿最儿指的时候，一辆路虎停在他面前，车窗摇下来，康康叼着烟，把墨镜摘下一半问，帅哥去哪儿啊。

下雪天戴墨镜作不死你，陆灿笑着上后座，旁边穿得像一棵圣诞树的小悠向他说：“Hi！”

即便大雪造成拥堵，但康康把车开得像《速度与激情》，抄小道用几分钟就走上了大路，陆灿盯着手机上苏雯的微信窗口，输入框写着一句“等我，别走”，手指冰冷地僵在半空中，迟迟不敢按下发送。直到一晚没充电的手机最后一格电量耗尽，屏幕变黑，他才如梦初醒，还在矜持什么呢，陆灿自责道。

在上机场高速前，康康问他，“二环现在很堵，我们要不要走三环啊？”

“嗯。”陆灿心不在焉地应和。

下雪的城市，万事万物像是融进了一个慢镜头，康康吐着的烟圈缓慢上升，他打了右转向灯，准备变道。

陆灿心里全都是苏雯，睡着时吧唧嘴的样子，吃到黄焖鸡米饭时眼睛忽闪忽闪的样子，觉得自己好像养了一个小孩，忍不住逗她，亲她，疼她。

他们头顶上方路过向右转进入三环的指示牌。

在迪士尼乐园坐飞越太空山的时候，苏雯一直拽着陆灿尖叫，她说，以前一直不知道这些爬上爬下、飞来飞去的游乐设施有什么意义，现在懂了，在每次失重向下坠落或是嗓子眼被扯着向上狂奔的时候，只要身边能有人一直牵着，就有了冒险的意义。

“我愿意一直跟你冒险。”

红灯亮起来，慢镜头结束，路虎车临近路口，减慢缓行。

“我们还是走二环吧。”陆灿突然抬起头说。

那个时候我们都以为爱是我喜欢你，你喜欢我，以为爱是我所希望的就是你所希望的，以为爱是两人份的炸鸡，是一个香喷喷的屁，是被手肘压住的长发，是开在土地里卑微的花，后来才知道，爱是金风玉露一相逢，便胜却人间无数，是相看两不厌，以陪伴互为终点；爱是舒服的沉默，是和有趣的人一起浪费人生，是灵魂伴侣，是原来你也在这里。

还好我们最后都懂了爱。

还好最后是你。

Jazz No Problem-Praha
CD
300,-Kč
10,- €

和你赶上最好的相遇

这个世界上的爱情分为多种，一种是心灵伴侣，靠一碗鸡汤秉承爱就是不见也不散；一种是卑微如尘，对方给你一巴掌，你还会关心 Ta 手为什么这么凉；另一种是彼此折磨，两个人像周瑜打黄盖，一个愿打一个愿挨；还有一种是无间道宫心计，互相猜，好像瞅准了看谁先出轨似的；最后一种，是心照不宣的暧昧，就像电影里说，你想和她上床，她也想和你上床，你们都知道总有一天你们会上床，但不知道你们会在哪一天上床，这就是最好的时光。

以上，Mickey 小姐翻了数十个白眼，在她眼里，爱情只有一种，那就是骗与被骗，简单如菜场买菜，不用动之以情，晓之以理。

之所以这么说，这要翻开她惊心动魄的恋爱史。Mickey，南国小美人，初恋在大一，爱得死去活来，毕业时男友哭着说父母要把他送去英国读研，为此 Mickey 还割肉送了他一条大牌手链，见链如见人，结果没俩月就看见他跟别的女人在隔壁王阿婆家吃冒菜，那条手链明晃晃地挂在小三手上。被渣男欺骗愣是疗了一年伤都没痊愈，那个时候她土丑土丑的，于是疯狂瘦身美容，终于熬成天鹅，男人便如外卖自带保温上门。

男人成了她最唾手可得的东西，Mickey 当即下了决定，不做帝王的三宫六院，扬言要当武媚娘，让天下男人都来争宠。她在不同男人面前变成不同的女人，遇到保护欲强的，就二十四小时装脆弱，看 3D《泰坦尼克》哭，看 3D《史瑞克》哭；遇到动漫爱好者，就穿着女仆装约会，一、二次元无障碍转换；遇到霸道总裁，就每天娇滴滴被阵风都能吹跑；遇到花心男，就成了耐追的绿茶婊；遇到色坯，就把自己捆好放床上。

用周星驰的话说就是：其实，我是一个演员。

几轮下来，十二星座集齐，她声称对男人了如指掌，精彩履历攒到一起都能写个前任攻略。

她有一个闺蜜叫大花，大学同个社团的，男友是公务员，不过性格保守呆愣，迟迟不敢求婚。一早从良的大花作为 Mickey 这一路辉煌战绩唯一的见证人，没少忍住去报警的冲动。她最大的心愿，除了男友有天被雷劈了大胆跟她求婚，就是希望 Mickey 能再次坠入爱河，嫁做人妇，没有买卖就没有杀害。

大花本以为这个心愿要再兜售个三五年，结果中途被人出高价买了。

故事起因是这样的，Mickey 被大花拉去一家新开的慢摇吧，看那个传说中让女人流泪、男人沉默的帅主唱。Mickey 起初还不以为然，结果直接掉坑里，主唱声音温柔得像有砂纸在心口磨，唱歌的样子又认真到让全身荷尔蒙不自觉打架，脑中那根弦，突然一紧，仿佛一跃回到大一，看到男人就好奇的自己。

主唱说的没唱的好，中间串场的台词儿都结巴，因为紧张不停揉搓那一头自来卷的傻气样子，全然陶醉的 Mickey 燃起一个变态的想法：想闻闻他的头发。

嗯，挥了再久“老娘不爱”的大旗又怎样，还不是一见钟情，没得商量。

她通过强大的情报网搞到主唱比人肉搜索还详细的资料。周沛，二十八岁，老爹是政府官员，某原创音乐网站人气歌手，说话急了会口吃，头发除了卷且天生黄，海贼王控，喜欢听苏打绿陈绮贞田馥甄，至今还有写博客的习惯，最爱的导演是王家卫，念念不忘，必有回响，跟他前任女友分分合合五次，单身一年。

基本确定对付这种男人，要变身女文青。她跟大花打赌，用三天时间让周沛爱上她。

Mickey 把头发烫直，摘掉假睫毛，扔了口红，铺上轻薄的 BB 霜，穿上碎花棉麻衣，脚踩匡威，背着帆布包，制造各种与周沛的偶遇，高密度刷脸。

这天周沛唱完歌，在慢摇吧门口碰上拎着行李箱的 Mickey，他瞪着圆滚滚的眼睛，指着她的行李箱一脸疑惑，Mickey 用平淡的语调说，“哦，刚从机场赶来看你演出。”完了再送上一抹恬淡的微笑。她心里想，“好了，他现在一定觉得这个偶遇多次的女生很柔弱，保护欲瞬时泛滥。”果不其然，周沛乖乖帮她把行李箱搬上自己的车，说送她回家。一路上，Mickey 始终保持一副不食人间烟火的样子，路过一片亮着灯的树，她突然非常认真地问，“带我走好吗？”她的声音很轻，但周沛竟然点点头，然后就带她回家了。

只用了两天时间，他们好上了。

周沛有一个自己的Loft，上面一层是卧室，堆满了各种海贼王公仔，下面一层准确来说都是工作间，因为从进他家门口到录音室，都堆满了各种CD、音响、吉他和键盘。

周沛写歌的时候，Mickey也在他的键盘上有模有样地乱弹，在录音室录音，Mickey就拿出安妮宝贝的书看，看累了，放起苏打绿的歌。等周沛休息，就陪他一起看海贼王，看到艾斯之死，哭得不能自已，鼻涕流一地，说什么也要写一篇文章表达此刻澎湃的感情，于是打开了博客页面。

她做的每一件事，都会迎来周沛的目瞪口呆，结巴着说“我们的爱好简直……一模一样。”Mickey表情淡如水，亮着明媚的眸子，从肺部无力地冒出两个字：“是，吗。”

在心里乐开了花。

两个文艺青年相处融洽，生活处处有惊喜。有天早晨，Mickey从梦中惊醒，与周沛四目相对，吓得她打了个激灵，周沛带着盈盈笑意，在她脸上留了个吻，然后把她手机递给她，说，“有人给你发了个信息。”

Mickey接过来一看，差点背过气，某前任发的，“老婆，我怎么不能给你微信发消息？”

只见Mickey哈哈大笑，尴尬地瞪着眼解释说这是她闺蜜大花，互相叫“老婆”萌萌哒，还当着周沛的面给大花一个电话打过去，张口就喊，“老婆，你再发一次试试，估计是你信号不好！咳咳咳。”

听着咳嗽的暗号大花翻着白眼全程配合，挂上电话后，她那个呆子男友在旁边一脸无辜地问，“我怎么听见刚刚电话里有人喊你老婆，而且还是个女的……”

事后大花在电话里嚷嚷，“米琪琳你这个贱人！”Mickey 哭笑不得，连赔了好几个不是，不过没忘了威胁她，再敢叫她大名，就抢了她男人。

是的，Mickey 有一个特别的大名，她略有文化的爹妈一定不知道，如此甜美可口的名字，有一天会变成一轮胎。

让轮胎小姐没想到的是，这条前任的信息只是噩梦的开端。

某天他们在剧场门口准备看话剧，周沛排队买票，Mickey 就在街边晃着她的棉麻裙子老实等着，结果那个前任又出现了。此男被甩之后全然变成了另一个人，清秀小脸长满了胡茬，毛孔大得像是刚把脸搁地上吸了个尘，他不确定地叫了 Mickey 一声“老婆”，Mickey 警惕地盯着他，倒吸了口凉气，“你认错人了，Mickey 是我姐姐，因为得了绝症，才故意跟你分手，前不久去世了，节哀！”说着 Mickey 边抹眼泪，边指着不远处的山说，“家姐就葬在上面，她希望你能勇敢，不要难过，做最好的自己。”听完后，那前任一把鼻涕一把泪地塞给 Mickey 一笔钱，就朝那座山跑去了，嗯，用跑的。

看完话剧后周沛问她，买票的时候跟她说话的男人是谁，她果断地大手一挥，“大学支教认识的一个学生，多年没见，孩子长这么高了。”

后来又发生多起此类事故，前任们像约好似的回她这里阅兵，在她微博下面评论刷屏的，在星巴克写个博客突然跪地求复合的，甚至用个叫车软件，都能碰上转行当司机的。不过 Mickey 运气好，靠她三寸不烂之舌和堪比奥斯卡影后的演技平安度过，直到周沛在她的衣服口袋里掏出一枚钻石戒指。

时间如同被任性的教授冻住，Mickey 盯着那枚戒指，以往任何嚣张的谎言都捉襟见肘，她依稀看到过去的画面，某个在迪拜遇到的前任说爱她爱到不能自拔，在帆船酒店最顶楼，跪地，掏出了这枚戒指闪婚，她接过来，说让我考虑一下，然后第二天，就带着这枚戒指逃回国了。

周沛把吉他抱在胸前，把戒指往自己无名指上套了套，露出一个天真的笑容，说，“钻石好大！”

“这是大花的！”Mickey 激动得都破了音，拨弄着自己的空气刘海，煞有介事地强调，“这是大花她领导给她的，怕被男友看见，暂时放我这儿，你可别露馅了。”

周沛信了，做了个嘘声的手势，点头如捣蒜，那一头鬈毛也跟着抖。突然从这一刻开始，Mickey 心里升起一阵愧疚。

后来，为了圆这个谎，她硬把戒指给大花戴上，大花说本来这根无名指只能留给公务员男友，一百万个不情愿，但看到这么大克拉的钻石，全然忘了自己的承诺，男友先一边去吧。结果接过戴上去忘了摘，被男友看见了，不能出卖 Mickey，哑口无言，那个傻愣的男友一时间竟无比笃定，一口咬定她在外面有人了，翻天覆地地吵了一架，流着男儿泪出走了。

大花把戒指摔在 Mickey 身上，哭着说，“你以为爱情就是这样容易，随你糟蹋吗？这几年我真的受够了，谁没失恋过，以为把身边的人弄得遍体鳞伤你就赢了，但你知不知道，那些男人最多就是抹把泪，翻个身照样潇洒人生。你呢，除了最后只能用化妆品遮你脸上的皱纹，你得到什么了，他们一直都是火焰，你才是那只飞蛾，谁都不傻，根本就没有任何人在争着宠你，他们只是争着看你有多么可笑。米琪琳，如果今后全世界都恨你，一定记得还有我，我也恨你。”

失去大花，Mickey 的人生从此多了一大半的阴天，因为她发现再也没有第二个像大花这样的朋友了。宿醉之后，她把遮瑕膏涂在黑眼圈上，拼命用夹板拉直头发，她对着镜子里的自己说，Mickey，你一点都不快乐。

她独自消化了伤心，继续扮演那个美好的文艺青年。周沛在原创网站的歌曲点击量又创了新高，好几家唱片公司抛来橄榄枝，要给他出个人专辑，于是那段时间，他都窝在家里，蹲在一排的乐器前写歌录歌。Mickey 还是弹着他的键盘玩，又怕吵到他，就坐在录音室外，静静看着他，隔着玻璃悄悄在空中抚摸他的鬈发，突然觉得自己触摸到了彩虹，好像她忘记跟大花说，自己早就对眼前这个男人动心了。

“有些人沦为平庸浅薄，金玉其外，而败絮其中。可不经意间，有一天你会遇到一个彩虹般绚丽的人，从此以后，其他人就不过是匆匆浮云。”这是她看过的电影里，最喜欢的台词。大概就是现在这样的心情吧。

因为越来越忙，周沛在慢摇吧做告别演出，最终曲唱毕，围着他的妹纸们无限伤感，但等他正式把 Mickey 介绍上台后，气氛变得微妙起来，台下射来无数道奥特曼打小怪兽的激光，Mickey 虚起眼睛，想用力记着那些恨她的脸，目光最后落在那张再也熟悉不过的脸上。

她看见了大学的初恋。

四目相对以后，只见他缓缓走到台前，举起手问周沛，能否让他唱首歌。不明就里的周沛乐呵地把他请上台，还招呼身后的乐队配合，然后拉着全身僵硬的 Mickey 走到台下。

初恋唱了一首《盛夏的果实》，这是他们大学的定情歌。唱完歌，他说了一个故事，他曾经很喜欢一个女孩，但因为她那要命的自负，像变相囚禁一样把他一次次逼退，终于让他下决心离开她。现在这个年代，感情都是你情我愿，不喜欢就是不喜欢了，勉强对谁都没好处。结果那个女孩为了报复他，想尽办法破坏他跟新女友恋爱，直到他们分手。后来她用不同身份骗了更多的男人，自以为是地供养那颗高高在上的自尊心，践踏所有人的感情。她最新的猎物是一个主唱，就在刚才，那个主唱还傻乎乎给大家介绍了她。

故事讲完，台下立刻嘈杂起来，一向能言善辩的 Mickey 一时间丢了话语权，刻意与周沛保持一段距离，不敢看他。只是没想到周沛把吉他往地上一丢，上前指着初恋的鼻子大骂道，“说什么呢，存在感也太强了吧，你刚刚也说了，是你先离开了她，就因为人家黏着你，就被无辜挂上一个‘前女友’牌子，你跟人刚在一起的时候，怎么没嫌她黏人呢，等到她死皮赖脸地把时间端平了送给你，你一句不喜欢了，就白耽误她四年，人家凭什么不报复！女孩不是用来给你人生涨经验值的，是用来疼的，你先把这件事搞清楚！”

周沛字字铿锵，竟然没有结巴。观众傻了，其中一个胖女孩带头鼓起掌，周沛熄了火，他按住疯狂跳动的额角，回过神，Mickey 已经不见了。

一路塞车，等周沛到家，Mickey 已经清空了她的东西。空气净化器突兀地冒着蒸汽，地上还是一堆散落的 CD，好像这个家从来没有女主人出现过。

Mickey 把杯里的最后一口酒灌进喉咙，用力咳嗽了一声，整个人瘫软在桌上，意识趋于模糊，心脏抽搐着疼，再加上冷风一吹，后背腾起一阵鸡皮疙瘩，她觉得自己是不是快死了。

突然一件衣服搭在她身上，Mickey 抬起头，是大花。

“被拆穿了就走啊，干吗还这么恋恋不舍。”她在 Mickey 身边坐下，那天在慢摇吧发生的事她都听说了，“骗人也要骗得有点骨气吧。”

“我喜欢他。”Mickey 带着哭腔喃喃道。

大花一阵沉默后，抢过身边服务员盘子里的酒，闷头就是一整杯，恨不得把杯子都吞下去。想起距离她们上一次这么喝酒，还是在 Mickey 第一次失恋的时候，那时的她还扎着头发，小圆脸，一身的奶气，看看现在她这狼狈的鬼样子，说不出的心疼，自愧欠了她好多杯酒。

那晚，两个失恋的女人醉得不省人事。

这年的跨年，公交站灯箱都换上了周沛新年音乐会的广告，地点在中央广场，将首唱他最新单曲。那晚 Mickey 和大花都去了，她们在人流中差点没给挤吐了，实在没这能耐，只能远远地看他。

一个多月没见，周沛好像瘦了，他顶着那头标志的卷发，接连唱了好几首别人的歌，终于轮到唱自己的歌之前，他结结巴巴说了好长一段关于梦想啊人生啊的文艺感言。

俗套，Mickey 想。

不过歌是真的好听，广场上人真的也越来越多，她们两个瘦小的身子被人群推搡着，直到看不见周沛。大花劝她，“别再苦苦盯着这只风筝了，你现在放手，他能飞得更高，他根本不是你能拥有的人啊。”

Mickey 抿着嘴，踮脚张望了一下，然后把脸缩进围巾里，转身想走。这时，周沛在台上说，接下来这首歌，要送给一个很傻的女生，我知道她一定在现场，我想让她知道，我喜欢她。

前奏刚一响，Mickey 努力去想这段旋律为何似曾相识。她突然停住，眼圈唰地一下红了，嘴巴和鼻子边氤氲着雾气。周沛温柔的声音灌进耳膜，Mickey 突然转身往回挤，四周的路人皱着眉恶狠狠地凶她，大花见状也跟着跑上前，抓着 Mickey 的胳膊，帮她一起挤，送给那些人同样不怀好意的眼神。

两个“少女”挤得可开心了。

人嘛，就是要在关键时刻不要脸，我们平时就是乖太久，才会在爱降临的时候，按部就班，像是经不起一点委屈的温顺兔子，被鸡汤洗脑，高喊着要在爱里活出自己的口号，一遇到刁难就折腰。其实在爱面前，我们什么都不是，我们并没有想象的那么伟大，清风能醉人，尘埃能致命。既然如此，不如彻底放肆，破坏规则，最是青春留不住，青春也不须留。

Mickey 想起了，过去她在键盘上凭空弹的每一个黑白键，都被周沛记录下来，谱成了现在这首完整的曲子。

“十……九……”大屏幕上进入新年倒计时，台下人声鼎沸。

终于挤到最前面的粉丝团里，Mickey 抬头看着逆光里的周沛，正与她四目相对，他取下话筒，用他的招牌笑容步步迎向 Mickey，伴随着整个广场连绵不断的倒数声，他在话筒里问，“你知道我为什么说你傻吗？”

Mickey 眼眶里堆着泪，匆忙摇摇头。

“三……二……”周沛来到她面前。

他把话筒放下来，凑到她耳边，悄悄说，“这位轮胎小姐，其实我早就知道你是怎样的人了。”

“一！”

彩带和烟火此时在空中亮起一片璀璨。

在慢摇吧第一次看到 Mickey，周沛就对她一见钟情，为此紧张得连串词都念得结巴。事后用毛爷爷弄来一份关于 Mickey 事无巨细的资料，米琪琳，二十六岁，无业游民，曾是某时尚杂志的服装编辑，哭的时候会流鼻涕，在大学时经历过一段失败的感情，后来成为千面娇娃，对男人有无穷自信，培养出了一支庞大的前任军队，秉承伟人哲学思想具体问题具体分析，喜欢听各种男人喜欢的歌，喜欢看各种男人喜欢的电影，永远处于恋爱或正要恋爱的路上，不过，这一秒还是单身。

他笑得灿若桃花，如此有难度，但他就爱挑战，坚信能用真爱改变她。“各怀鬼胎”的两个人会让这个故事变得异常美妙起来。

好了，把画面转回跨年。

Mickey 和周沛在人群里抱在一起，她一只手努力捏着鼻子，仰着头猛哭，生怕鼻涕流到周沛身上，等眼泪流干，才想起大花去哪了。

人群那头突然喧闹起来，大花被挤在几个壮硕的男人中间，像是在哭。Mickey 拽起周沛又是一顿乱挤，好不容易挤到大花面前，看见她的公务员男友正跪在地上，举着一枚比当初那枚还大的钻石戒指。

“白痴，谁求婚双膝跪地啊，你在拜祖宗啊！”大花破涕为笑，用力地点了点头。

后来大花老公给 Mickey 发过很长一段信息，大意是说，感谢你，要不是因为那枚戒指，也不会让我终于鼓起勇气带大花走向下一段人生。

她回了一句，不客气。

总结一下吧，这个世界的爱情无论是哪种，只要还称之为爱情，都不容易。

这个世界从不缺好的故事，故事的结局，静香没有嫁给大雄，晴子可能也就负责打开樱木花道的初恋大门，有人曾牵手，但不会到最后。就像刚好在赶不同的列车，可能就与缘分失之交臂，抑或是原本以为能长久同行的人，结果提前下了车，看似遗憾，但人生海海，总要允许有人错过你，才能赶上最好的相遇。

愿你爱的和爱你的人，早日相逢，平安喜乐，万事胜意。

我们谁都会受伤，
也都会在爱里成熟，
不依赖天长地久的承诺，
不抱有唯我独尊的自负，

在一百次冲动之前，

看看自己在这段感情里的收获，
别轻易觉得爱可弃，心可医，
一个人能行。

时间是永恒的敌人，
永远跟有没有勇气没关系，

跟牵了多久的手也没有关系，
它能给人无穷尽的生命，
也能给两个人最长的距离，
能让你忘记所有快乐的细节，
却偏偏记得痛是多么刻骨铭心。

爱情不就像诗人说的吗，
爱一个人，他身上就会发光，

后来发现，自己也能发光。

亲爱的，好自为之

有一种女生的存在堪比《X战警》的变种人，凭借三寸不烂之舌和“我作故我在”的人生信条，在前方阻击敌军，在后方混淆视听，让讨厌她的人加倍讨厌却不得不羡慕，让喜欢她的人翻足了白眼却怎么也离不开，不费吹灰之力，占地为王。

李萱就是这么一个姑娘，用一张嘴开天辟地，除非终极怪兽跪在她面前求饶，否则绝不轻易拯救银河系，因为嫌弃打打杀杀地弄脏衣服。

她的脾性，全仰仗背后有一个极品老妈。

年过半百，活得比十八岁的小女生还精致，每天衣服不重样，出门必是大浓妆。萱妈年轻时是镇上的镇花，在当时那个年代，每天都能收到好几封情书，那确实是漂亮到惊天动地，土财主、官二代、小文青都追过她，但最后却跟了一个卖酒的私营户。她说人这一辈子，其实就是一汪安静的清泉，如果想弄点涟漪，自己就去当那枚石子。于是她婚后跟老公一起打拼酒业，三年时间自己开了个酒厂，在最风光的年头，听别人说开宾馆赚钱，就贸然把酒厂卖了，自己拼人脉路数，买地建宾馆。头几年生意还挺好，2003年遇到SARS之后，宾馆就垮了，老公迈不过这个坎郁郁而终。她却不气馁，拎着当时只有十几岁的李萱从头做酒去，中间过程之坎坷省略几百字。现在她已经是某白酒的北方总代理，小男友从鲜肉模特到跨国公司年轻老总，各型各款，发出好人卡的次数甚至比李萱还多。

而李萱则成了名副其实的富二代，且还是个自带背光头顶隐形皇冠的女王富二代。

第一次失恋她给男友写了两千字的长邮件，把对方缺点标黑加粗，末尾不忘提醒一句“欢迎下个女友补充”。当然在她最难过的时候也哭过，但萱妈一句劝她就立刻愉快得像个弹力球蹦跶走了，萱妈说，“被郭德纲甩了哭个什么劲，人吴彦祖还敢不敢娶你了？男人就该分为三六九等，你现在碰上的这些都是给你练手的。”与此类似的还有李萱高考发挥失常，去了个不太理想的传媒大学，萱妈就说，“妞啊，什么大学都要有人上是不是？”

于是李萱在大学四年一路披荆斩棘，德智体美全面发展（主要是美），不给其他女生一点活路，当时在杭州唱花篮都能唱出一个自己的社团，成为校园神话的同时也付出了惨痛代价：没有男生敢追她，形成了可持续发展的感情空窗。

好不容易挨到毕业散伙饭，菜还没上大家已经喝高了，更有甚者，已经抱团哭了起来，其中有个矮个子男生红着脸，端着酒杯慢慢挪到李萱面前，正准备运气表白的时候，她突然拍桌对着服务员就是一顿吼，“我们从坐下来到现在已经四十分钟了吧，一个热菜都没上，你当我们是过来表演酗酒的啊？”

然后，成功把男同学吓跑了。

再然后，毕业五年的李萱已经成了知名唱片公司的宣传总监，每天精致地游走在上海这座小资城市。第一次踏入上海，在外滩眺望远处的东方明珠塔时，她浮躁的内心立刻得到和解，仿佛在前二十多年的苦海中挣扎游走，就是为了寻觅这一座灯塔，自此，她洗心革面，痛改前非，全神贯注地认真装起来，一句话主谓宾必须带英文单词，一日两餐（过午不食，若食必当诛之）必须讲究营养均衡，每周必须做护理，每天微博上发的自拍必须得穿不同衣服出镜（尽管为了省事基本都是双休在家一次性拍完，储备着每天发一张），朋友圈必须晒自己做的美食（楼下的餐厅叫的），诸多必须。就像有两条平行的路，她在其中一条名为“作死”的路上走得特别体面，另一条全是迎面向她走来的男生，即便她摆手问好，都逃不过眼睁睁看着他们一个个成为错过的命运。

二十七岁的李萱还没嫁出去，准确来说，还没谈过一场超过三个月的恋爱。男人最怕的，就是在女人身上找不到存在感，李萱继承萱妈的石子理论，给彼此生活激起千层浪，最后每个男人都带着一身伤含恨离去。

为此，在感情史上夺得满贯的萱妈没少操心，很后悔教给女儿这套理论，因为别说郭德纲了，李萱的世界里，吴彦祖都容不下。

她说女人没有男人滋润会更年期提前的，还说李萱公主病太严重，不过李萱倒是不在意，反击说她从萱妈的肚子里出来那刻，就已经进入更年期了，以及公主病是指穷人作大死，但她不是，尽管作，至少也是只真金白银的凤凰。

事情变得有意思起来是因为一个专辑企划会。

老板给了 KPI，公司今年要重推几个签约的新人，所以从专辑收歌阶段，李萱就要全程参与。这次的企划会，除了李萱都是男的，还有两个专程从台湾过来的制作人。待她用惯常的客套微笑寒暄后，立刻像一座雕塑坐在人堆外静默不语。

男人们都抽烟，于是整个会议室烟雾缭绕。那俩台湾人坐在一起，其中一个长得很像《Gossip Girl》里的 Nate，这也是让李萱全程冷面不语的最大诱因，虽然她孤做得像是一只不会分泌多巴胺的怪物，但仍然抵不住强大的男性荷尔蒙侵袭，在任何靠颜取胜的男人面前，一定会有女人留灯。

这次，她开了激光灯。

烟雾中李萱用余光一直打量着高仿 Nate，直到对方从烟雾中伸出手朝他右边指了指，她才抹掉嘴角的口水，傻愣愣地把桌上的矿泉水递出去，“是要烟灰缸啦！”那个一直坐在 Nate 旁边抱着吉他的台湾人打岔道，弄得好不尴尬。

在这之后，李萱与高仿 Nate 有过几次眼神交流，双方都带着电伏，李萱默默转动了一下自己的隐形皇冠，直觉八九不离十，等会议结束后看见微博提示一位新粉丝，她就冷笑了一下，好像终于收复了觊觎已久的城邦。

那个时候微信还没开发出来，微博是时下最火的交流工具。自从那个台湾人加了她的微博，李萱就进入高级装13模式，随时等着对方第一条评论第一封私信，敌不动我不动。不过对方微博总共就发了十条，还都是转发，一周了都没动静，于是她开始每天刻意发很多自拍照，上班造型，回家睡衣造型，连敷个面膜都要让别人知道长啥样，终于迎来对方第一封私信的时候，李萱都快哭了。

因为他问："你是有开网店吗？好多衣服和面膜，嘿嘿。"

见过那么漂亮的卖家吗！李萱感到自尊心严重受挫，义愤填膺地敲下一行字回过去："没有啦哈哈哈哈哈哈[害羞][害羞]"

"很漂亮，我是上次在你们公司会上要烟灰缸的。"

"哦，好像有点印象。不过你是说衣服漂亮，还是人漂亮，还是说面膜漂亮啊？"发完这封，李萱想割腕自尽。

几封私信来回之后，他们正式拉开了微博恋爱的序幕，那次企划会第二天，对方就回了台湾，他们隔着海峡和陆地聊工作聊八卦聊政治，几乎都用私信沟通，话说不完就打skype（网络电话），事无巨细，每天抱着手机取暖。

好几次终于聊到感情话题的时候，李萱都盼着对方露出男儿本色发几个黄段子聊骚一下，但对方就是抓不到重点，最多也就停留在一个拥抱的表情。

本以为这段网恋会无疾而终，变成李萱寂寞生活的一小截陪衬，谁知在朋友生日当天，台湾人给李萱发了条私信，说专程飞来了上海，想见她。

要知道，李萱今天穿了一件金色镶钻的裹胸长裙去给朋友庆生，收到私信后，根本来不及换下，就找借口放了朋友的鸽子，像参加颁奖典礼一样拖着长裙去静安寺的泰国料理店跟她的高仿 Nate 见面。初相遇那天他们连话都没讲过，这次李萱给自己下了军令状，势必发挥毕生口才，绝不让两人落入尴尬，以及她已经做了一百二十个心理准备，只要对方开口，晚上就随他去酒店。

私信里对方说坐在窗边，很显眼。

确实很显眼，李萱一进门就看见了，不过坐在那里的是上次开会高仿 Nate 旁边的吉他男。李萱当即心跳加速步履蹒跚起来，在心里默念一定不要跟我打招呼一定不要跟我打招呼。

那个吉他男热情地喊了她的名字。

喊的。

李萱觉得自己又一次失恋了，而且乌龙到连对方是谁都没搞清楚，对她来说，那个吉他男像是大学时连名字都懒得记的一个同学，或是某个星巴克里一脸没睡醒的职员，平凡普通，还没走入自己视线范围半步，就提前画了很大的一个叉。

刚好在人生又一次跌进谷底的时候，萱妈谈恋爱了，海归医生，比李萱就大六岁。她躺在医生的怀里娇羞得像个怀春少女，全程热聊事业、旅行和未来，这些人生关键词像是一把把匕首直戳自己的亲女儿身上，坐在对面的李萱恨不得把咖啡杯都捏碎了。

临走前，萱妈问，“妞啊，你上次说那个台湾人最后怎么样了。”

“死了。”

“啊？”

“坐飞机的时候喝汽水呛死了。”

“被呛死”的吉他男叫方煜恒，名字起得跟琼瑶戏男主角一样偶像又文艺，但实则是个没有生活情调、性情粗鄙的巨蟹男，每天的生活除了做音乐，就是宅在家里玩 X-box，台湾最流行脸书那会儿没赶上，后知后觉跟着大陆的朋友一起玩微博，但从不会发自己的照片，那天他确实向李萱要了烟灰缸，他也以为企划会上李萱带电力的眼神是看向他的，就连后来收到她娇滴滴的私信，都肯定对方是对自己有意思的。

所以当李萱坐下不到五分钟就借口离开，然后回去发现不能私信给她原来是被取消关注之后，方煜恒就觉得异常莫名其妙。打了几天电话未果，在他动身回台湾当天，李萱发来一条私信，说她接受不了异地恋，就此别过吧。

正常的男人应该会想尽办法要女方一个解释抑或骂几句脏话认栽收手了吧，但方煜恒倒挺奇葩的，发不了私信就在微博上放自己弹唱的视频隔空献爱意。

一唱就是一年。

他一直以为李萱有难言之隐，或是这个女生还没准备好谈一场轰轰烈烈的异地恋，他也根本不会想到，李萱对他的态度一百八十度转变的最大原因，就是爱的根本不是他这个人。

那一年，各大社交网站涌现很多翻唱偶像，方煜恒在众多老外和华裔中脱颖而出，靠几个简单的和弦唱原创，视频常被各大网站分享，因为歌词都围绕“不再联系”“我很想你”等虐心的字眼，被网友冠上了各种狗血故事，成了悲情男神。

当李萱终于看到这些视频后，心就软了，一边哭笑不得地听着那些藏着她名字的歌词，一边跟那些编故事的人吵架。有一次有些想念，想回头看看他们的私信，才发现当时一冲动都给删了。

说白了，全是寂寞使然。这一年，李萱转行做了品牌公关，除了那次乌龙的碰面，她跟方煜恒再无半点交集。一切都还是老样子，没有特别的人闯进她的世界，她的世界也仍然只容得下一个主角。当她辗转于饭局之间，靠酒精拿下一个个案子后，回了家仍然忍不住惆怅，这个年纪，卸了妆有皱纹，喝多了胃会痛。一个人住在 LOFT 里，上下楼梯都觉得踩不稳，满世界的寂寞。

也是这一年，萱妈跟她的海归医生结婚了，李萱说她在外面了这么久，终于肯收心，安安分分找个家了。还记得婚礼前一晚，萱妈突然打来电话说要上她的 LOFT 来陪她睡，结果半夜哭出声把李萱吵醒了，她像个孩子般抽泣着说，梦到萱爸了。

萱妈整个后半生兜兜转转这么久，找了那么多男人，却始终成不了归宿，不是因为自己贪玩，而是想通过各种方式忘记离开的人。在梦里，萱爸给她斟满了一杯酒，说酒这种东西，不用非得两个人才能一起喝的。萱妈把钱夹里唯一一张萱爸的照片抽出来，眼泪汪汪地说她现在终于不爱喝酒了。

李萱的工作经常需要做PPT，一台放了薰衣草精油的加湿器，和塞满整个播放列表的轻音乐就能让她轻松地工作到下半夜，可能是因为作息的关系，时不时胸口会疼，她自己其实都不明白自己这么拼到底是为了什么。有时候实在撑不住了，就翻出方煜恒的视频看看，每一个转音，每一个煞有介事的小动作，都让她忍俊不禁，真是呆到死的男人。方煜恒保持着每月两首歌的更新频率，李萱也养成了固定听歌的习惯，但几乎不评论，一来二去，时间又快进了一年。

不知道从什么时候开始，方煜恒的唱歌视频里凭空多了个女人一起合唱，双颊饱满，眼波流转，爱穿白色长袍，仙风道骨得像是从森林里冒着烟出来的，评论页面里，多数是网友的八卦意淫和善意的祝福，唯独时不时会蹦出那么几个留言说，这女人是谁，丑丑丑丑丑，没错是李萱发的。

后来，萱妈跟她的医生以美国为圆心，环游了大半个地球，因为经常不在李萱身边，就花了一大笔积蓄在华山路附近给她买了栋别墅，请了个做饭的阿姨照料起居，还破罐子破摔地呛她，说反正这辈子嫁不出去，有大把时间可以在院子里种花种菜，提前感受老年生活。

住进别墅的第一天，李萱就被超强地暖蒸得流了一晚上鼻血。

临近 12 月的时候，李萱请同事来家里开派对，喝得烂醉的她站在沙发上乱跳，全然失了形象，直到其中有个同事的铃声响起，她才停下，原来是方煜恒的一首原创。她突然命令大家不要讲话，专心听那首歌，那个同事吓得不敢接电话，全部人傻愣愣地等铃声结束。李萱从没感受到这样的怅然若失，她鼻子一酸，背过身抹了把眼泪，一手拿着个空酒瓶病恹恹地晃着身子说，“我打小就觉得，我李萱今后肯定是最幸福的那个人，结果到现在，我连个幸福的影子都没见到。上海真的太大了，大到有时我觉得一闭眼，所有东西都属于我了，但是一睁眼，我除了能从银行卡里找到自信，就根本什么都不是，甚至连你们任何一个人都不如，一个人吃饭，一个人睡觉，一个人作到死，没有人愿意过来拉我一把，有一天我打个喷嚏都心肌梗死，也没人会敲我的门，连我自以为是的风景都没有人肯来破坏一下，没有人和我抢被子，没有人带我去旅行，更没有人看到我的可怜兮兮。”

李萱觉得天旋地转，脑子里的酒精全变成了生化武器。鼻子再一次发酸，她以为是鼻涕，用手背用力一抹，全是血，然后身子打了个寒战，向后栽了下去。

萱妈当初看张嘉佳的书看到哭，李萱就在一旁冷嘲热讽，说见不得大叔瞎矫情，一看内容就想起少不更事时看的那些三五块的杂志，上面那些密密麻麻的竖条小字儿再配上一幅惨绝人寰的黑白插画，绝了，后来她搭飞机的时候，碰巧同事也带了那本书，于是边读边在飞机上哭。还有一次，萱妈搭上了一个游戏设计师，两个人整天泡在家里玩网游，带着李萱也有事没事玩一会儿，不过她不喜欢跟他们去野外打怪升级，而是视死如归地不停刷副本，她说老娘指着大怪物掉装备，没空跟你们打小怪，人生要搞就搞大的，后来她半夜爬起来，偷偷去野外刷经验，因为那些从游戏走到现实中的情侣玩家，都是在野外打怪时打出感情的。

她其实柔情似水，骨子里也相信爱情，只是在现实面前，自负的皮囊高过一切，跟那些在爱情里失意的种子选手，其实可悲得不分伯仲。

李萱的胸部长了肿瘤，去医院做了手术，好在是良性的，术后做好调养即可康复。

动完手术那几天她都惴惴不安的，总觉得自己胸小了，嚷嚷着那破医生准是吸瘤子没吸准，把脂肪一起吸了去。

虽然是微创，但伤口一动也会痛，李萱乖乖地宅在家，刷微博看剧，难得有静若处子的时候。偶然发现不知什么时候微博客户端多了一栏未关注人私信，点开后，她觉得从脚指头到脑子，都在痛。

全部是方煜恒的私信：

今天来上海出差，去你部门找你，同事说你辞职了，嗯，换工作挺好的。

今天发的这首歌是我喝酒时写出来的，你说你妈妈是做白酒生意的，所以你特别能喝，为了你我也成酒鬼了，想说虽然跟你在不同地方，也许正做着同一件事。

……

可我就是喜欢你啊。

有些人谈恋爱，很像逛超市，想买薯片怕热量太高，想买牛奶又怕长痘，心想还是买瓶洗发水吧，但好像在网上买会便宜很多，于是最后空手而返。说实在的，人也就那几年青春有心力感受爱情的甜头，等时间一熬过，就发现爱情靠标准衡量最后只能等来孤单，如果可以，当有人掏出心窝子奉到你面前时，试着学会珍惜。

因为台湾签注过期，李萱裹着纱布勇闯出入境管理局，与排队的一群大妈抢位，趴在玻璃上用高难度的体位填完申请单，然后用几乎要把人说哭的演技让柜台的妹子尽快受理她的申请。五天后，她坐上了飞往台北的班机，在飞机上编了大段的私信，大概是解释之前发生的事以及这两年的心情，落地后想发给方煜恒却提示字数超限，来回删减也无果，于是脑袋一热直接发了“老娘要你”四个字过去。

萱妈打来电话的时候，李萱正在前往方煜恒公司的出租车上。在梵蒂冈那头的萱妈听说她在台北后，一切都懂了，她说女儿你那什么炸天啊，跨越台湾海峡千里追夫，两岸关系进一步的和谐全靠你了。李萱翻了个白眼，说，娘你都在说什么啊，萱妈那边传来一阵嘤嘤的笑声，她说，别以为我不知道，偷偷看了人家那么多的视频，人呐，还是不要太自信，永远不要那么快说答案是错的，既然上天让你遇见了，自有它遇见的道理，其实最后和你在一起的人，一定背弃了你的原则，是你意想不到的例外。娘你当在演电影儿呐，台词说得跟王家卫一样，我忙，不说了啊，李萱匆匆挂了电话，满脸通红，完全被萱妈说中要害。

有个这么鬼灵精的妈其实也是一种福气啊。

公司接待说方煜恒在信义区的录音棚，于是李萱又辗转十几公里，结果到了那里，又被助理拦在客厅，说他现在正录音，让她等着，李萱见状故意打起电话装忙，一个人默默走到墙角，看了一眼私信，方煜恒没回复她。在等待的间隙，她看见墙上很多方煜恒跟大牌歌手的合影，在一张他跟那个森女的合影前停下，上面用繁体字写着“纪念”两个字。

李萱鬼使神差地绕到录音室门口，见门虚掩着，便弯下腰从缝隙中偷看，看见方煜恒背对着她，右手搂着那个森女的腰。

李萱连夜飞回了上海，在自己的别墅里哭了一整天，没人知道她为什么哭，总之差不多把一辈子流泪的额度都用上了。

再次醒来的时候已经是第二天的凌晨，嗓子像被火烧过般疼，李萱从床上艰难地爬起来找水喝，没戴眼镜的她，视线有点模糊，听着饮水机里的水“咕咚”跳了一声，然后旁边的手机亮了，她原地愣了愣神，然后慌张地滑开自己的大屏手机，提示收到新发来的私信。

她虚起眼，还没看清楚是不是方煜恒发来的，结果不小心手滑，直接把那条私信删除了。

她觉得上天一定在捉弄她。

让她三十岁之前过得太过舒坦，在自己的王国里飞扬跋扈嚣张过了头，才会在而立之年，在一个男人身上破败得穷困潦倒。方煜恒就像一件皇帝的新衣，让她自以为获得了称心如意的衣服过后，贻笑大方，但后来发现人生没什么值得铭记的大起大落，偏偏就记得这件衣服，曾经让她这么喜欢又彻底失望过。

李萱全然失了睡意，她举着手机，犹豫要不要再发一条私信过去。

突然电话响了，从台北打来的。

方煜恒在电话里说他在玩《侠盗车手》，刚刚抢了一个男人的车，准备开去好莱坞，说今天台北的同志游行，竟然看见他妹在队伍里面，他妹就是跟他一起唱歌的那个，还说他最近在健身，因为马上要出自己的单曲，得练出六块腹肌，他还说自己没有自理能力，弄丢了很多东西，牙刷、筷子、充电线，还有人。

李萱听着对方如此平静地闲话家常，忍住不掉眼泪，太阳穴像有小锤子在一下下凿，她蜷缩在沙发上，像是一只被煮熟的虾。

从家里出来天光已经放亮，方煜恒摸着已经发烫的手机，还在闲聊，他说有点饿，于是去便利店买了盒泡面，便利店放的音乐是林俊杰的《那些你很冒险的梦》，李萱刚入职那家唱片公司的时候，做的就是这张专辑，她最喜欢的歌，也是这首。

那些你很冒险的梦，我陪你去疯。

“我去上海找你吧。”方煜恒边从便利店出来边说。

李萱觉得他在开玩笑，一个穷酸歌手，马上圣诞节，机票贵到死，以为自己是某说走就走的 App 啊。

方煜恒回到公寓，套了件卫衣，因为从没自己订过机票，不懂线上订票，也没有信用卡，从抽屉里取了几捆现金就风尘仆仆去桃园国际机场了，到了柜台，空服人员说最近飞上海的航班他们不受理现金，只做线上订票的接待。缺根筋的方煜恒也没空去问，就一个劲缠着那个空服小姐，他急躁地说，我要去上海，我想见我女朋友。

后来听说是空服小姐被感动帮他刷了卡还是怎么，当事人已然记不清了。一个身心备降上海，到方煜恒落地的一刻，小萱却觉得对方在开玩笑，她看着六个小时的电话通话记录，恍然间以为是场梦，梦里的人，只是和她旧相识的人长得很像而已。

方煜恒刚从浦东机场里出来，就被冻成狗，一件单薄的卫衣抵御不了江南冬天的寒冷，还没见到李萱，鼻涕就不争气地往外冒。

重新联系上后，他们见面的地方选在一家小龙虾店，李萱在旁边的优衣库给他买了件羽绒衣，方煜恒吃得高兴，李萱则戴着手套手足无措，眼睛快翻到天灵盖后面去了，但她仍保持着盈盈笑意。直到方煜恒随口说了一句“怎样，不喜欢哦”，李萱就立刻不计形象吃了起来，剥虾剥得指甲缝都疼，最后她说，从没吃过这么好吃的东西。

从龙虾店出来的时候，居然毫无预兆地下起了大雨，积水已经漫上台阶。

“冬天也会下这么大的雨啊。”李萱若有所思。

“带伞没？”方煜恒问。

只见李萱从包里掏出一把小得可怜的遮阳伞，两个人面面相觑，她把伞护在胸口说："干吗？这把伞很贵，我可舍不得用来遮雨。"于是方煜恒把羽绒衣脱下来递给李萱，然后在她面前蹲下来说，"我背你，你遮好雨。"

李萱愣住，看看周围困在雨里四处逃窜的行人，挺了一下胸，慢慢趴到他身上。

"抓稳了哦。"

"嗯……啊！"没等李萱说完，方煜恒就冲进了滂沱大雨里，李萱根本来不及把羽绒衣罩住脑袋，头发衣服就全被淋湿了。方煜恒背着她一路狂奔，整整跑了一条街，李萱全程抱紧他的脖子，既害怕又忍不住兴奋地尖叫。

最后他们在久光百货前，像两只刚被打捞上来的水怪一样拥抱对方。车和行人越来越少，从远处看像是电影里一个空旷的镜头，两个分别许久的恋人拥抱取暖，若是《归来》的结局被改写，冯婉喻记起了陆焉识，在积雪的车站拥抱，也是挺好的。

那时他们满身都是龙虾味，但李萱觉得，比香奈儿5号好闻太多。

"我以为我这辈子都不可能再恋爱了。"李萱在方煜恒耳边怯怯地说。

"嘘，别说话。"

"当初发现你不是那个 Nate 的时候，我很想死，觉得这是我人生的污点，智商的败笔，后来这些年，每每回想当时跟你发私信的日子，就觉得，还好你不是他。可是我没勇气啊，只能遥远地像个

傻 × 一样看你的视频，不敢点赞，不敢评论，我怕你越来越好，然后我越来越像个大龄粉丝，等到我终于有机会站在你面前的时候，你却牵着另一个女人，对我说谢谢。”

“嘘。”

李萱把头埋进方煜恒的脖子里，方煜恒背后传来一阵凉意，手臂上起了一层密密麻麻的鸡皮疙瘩。

“这一切真像一场梦，不想醒，我怕我醒了，又摔得特别惨。”

方煜恒感觉到李萱身子在抖，一下不知如何招架，只能像哄小孩一样顺着她的发丝，支支吾吾地讲了些奇怪的闽南话。

“方煜恒……”李萱带着哭腔叫他的名字。

“嗯？”

“我突然想起，我是开了车来的。”

然后方煜恒打了个无比巨大的喷嚏，卧床烧了整整一周。

这年的圣诞节，萱妈萱爸和李萱方煜恒两对情侣一起去台北旅行，头几天的垦丁行，好巧不巧大姨妈光临的李萱痛苦得缩在沙滩边什么都干不了，只能看着萱妈穿着三点式披着大丝巾和萱爸在一旁拍艳照，方煜恒则抱着冲浪板在她眼前来回晃悠。

平安夜，台北的街头火树银花，年轻人成堆地挤在心愿走廊许愿，路上的行人互相交换礼物，来往的公交车上亮着“圣诞快乐”，好不热闹。重生的李萱说要喝酒庆祝，本来说买洋酒，但方煜恒说他最近喝酒过敏，于是他们去超市买了几瓶米酒和冰块，李萱边嚷嚷着敢情私信里说为了她变成酒鬼是个幌子啊，边在半杯冰块里倒了一小口酒给他，用非常地道的台湾腔说，“米酒又不是酒了啦，你就当是馊了的椰子汁嘛！”

那晚，月色朦胧，已经入夜的台北依然热闹，他们坐在窗前，看着来往的车流，举杯共饮。

李萱说，这个场景她以前就好像经历过。

真是个美好的二人世界啊，后来，方煜恒抱着马桶吐了一整晚。

当初在那些未关注人私信里，方煜恒发来的最后一封说：

微博就这点最好，我们总共发过的两千五百封私信，就算换了手机，更新了设置，也一直存在，我很感激我拥有一段淡淡的感情，却是记忆里的最美好。

书上说，刻意去找的东西，往往是找不到的。天下万物的来和去，都有他的时间。

上帝很忙，每天要安排那么多人相遇，他没时间等你茁壮成长，也根本没心思听你的温言软语，那些出现在你生命里的人，抓住了，就是你的，自己放手了，也别可惜。他未来能给你更好的人，也能给你一辈子孤单。

反正山高水长，你还有那么多时间可以嚣张，只是别在疼的时候才发现错过的有多难忘。

亲爱的，好自为之。

身为一个（胖子）

胖子的人生三大难题，早中晚吃什么，如何不运动也能减肥，以及减肥如何不减胸。圆圆在这三道题上困顿了许多年，均不得解，她打小最怕别人说她可爱，捏她的脸和肚子，还必须得表示友好，否则就会变成别人眼里不可爱的死胖子，被组团欺负。

她常跟我抱怨，每个胖子都不容易，这世界还给他们施加精神暴力。

要说我跟圆圆怎么认识的，得追溯到幼儿园大班去。

她打小就是个胖墩儿，而我特别爱吃藕，我们第一天在幼儿园碰面，我就一口咬上了她的胳膊，于是她狂哭，事后我被我爹一顿揍。现在想来也觉得自己委屈，她的胳膊真的跟藕是一家的，长得实在太像了。

因为这一嘴，我跟圆圆结下了梁子，她抢我的馄饨，我抢她的蜡笔，两个人因为一些个破事儿每天哭一段不重样的交响曲，老师都没辙。后来非常不讨巧的是，我爹妈换了单位，结果跟圆圆她妈成了同事，两家人在麻将桌上一来二去成了至交，他们把我跟圆圆放在一个宇宙飞船的拍照板后面，露出半个身子，大喊着，笑一个，然后咔嚓下了我今生最想销毁的一张照片。

圆圆很像个在太空站吃太好的宇航员，大气地占了半边儿，而我被挤得只露出了半张脸，还被挡了光，阴沉沉的那种，像是被她豢养的一只营养不良的外星人。

我情窦初开是在小学，当时学校因为我个儿高外加大眼睛皮肤又白，于是被选上当旗手，跟班花一起在每天的升降旗里，培养出了友达至上的暧昧。虽然当时不懂爱，但我能肯定班花对我有意思，但尴尬的是处于变声期的我，声音特别像女孩了，于是常自我否定，班花对我会不会是出于一种姐妹的爱。

小学这六年，非常幸运的是我跟圆圆没分到过一个班，但不幸的是我妈说圆圆是女孩了，让我每天放学要手拉手陪她回家，一拉就拉到五年级，不光班花给拉没了，就连同学们也因为我近墨者黑对我嗤之以鼻。我们年级是出了名的熊孩子集中营，男生都针对两种人，一种是胖子，比如圆圆，一种是娘娘腔，比如我，尽管我几百万个憋屈，喉咙长这样又不怪我，但仍生活得小心翼翼，讲话都刻意装男人压低十个调。那个时候，我跟圆圆受了不少欺负，但她好像对这些外来的伤害天生免疫，每天只关心校门口卖麻辣烫的阿婆摆没摆摊子，倒是我，愚钝又丧气，尤其是知道作业本上的脚印班花也有份贡献之后，还委屈地在操场抹了把泪。

直到现在我还记得，圆圆用她庞大的身躯一下下踩在班花的本子上，把那些欺负我的人的书包丢到了校门口的喷水池里，然后拉着我逃逸的画面。尽管我最后还是被揍了，但仍然穷开心，这个平时只知道麻辣烫体重超标的胖姑娘，竟然能厚实地讲一回义气。

怎么说，像是打僵尸游戏里，兼具吐炸弹功能的坚果墙。

后来这堵墙，在初中被一个叫阮东升的高能帅哥炸毁了。

我们是全国第一批小升初参加军训的幸运儿，学校把我们拉到校外的一个基地，可能是当时的教官见到这么多小鲜肉太过兴奋，于是训得特别严谨，每天早晨6点被号角吵醒，被子叠成豆腐块，然后上来就是两个小时军姿，两小时正步，吃饭靠抢，没有白开水供应，只有消暑的十滴水，喝那玩意跟喝一肚子铁锈差不多，最残忍的是一表现不好，教官就打屁股，开始只打男生，后来男女混合双打。直到有一天，圆圆跳到一个教官身上，在他肩膀上留下一圈牙齿印，教官再也不打了，改为一天四小时军姿，四小时正步，晚上再唱四小时军歌。

我拼死命埋汰她，“你懂这种心灵上的体罚有多痛苦吗？！”

圆圆盯着阮东升说，“我懂。”

圆圆去咬那个教官是因为气不过他踢阮东升的屁股，后来午饭争当值日员清理整个食堂的残羹，是为了能第一个进食堂把土豆烧牛肉抢给阮东升吃。被我发现她喝自来水解渴，这胖姑娘骗我说钱都买饮料花光了，又不想喝十滴水，其实是她把最爱的可乐都买给了阮东升。

我觉得她傻，对方再帅，再大鼻子长睫毛一米八，再对她笑起来脸上像挂着太阳，他又不瞎，怎么可能真心喜欢胖姑娘。

军训最后一天实弹射击，圆圆挤在阮东升旁边，像只雕依着她的杨兄弟，按标准言情片里，这个画面应该是洋溢着青春荷尔蒙与闪闪逆光的，但现实非常油腻，一个眼睛被挤在高挺的颧骨里，外加两坨丰满高原红的胖子，趴在从漫画里走出来的精瘦少年旁边，在对方子弹声声里，悄悄对他说，“东升同学，我喜欢你。”

在外人看来，此处配的台词应该是，“这声儿大的，哎哟我去。”

整个初中三年，圆圆上演了一本暗恋百科全书，那些玫瑰色的心情发表在知乎上绝对能成为最佳答案。阮东升对星盘特别有研究，夸张到别人还在看心理杂志上的每月星座运程时，他就能指着人家的月亮太阳指点江山了，专业程度不亚于苏珊米勒。圆圆为了搞研究，省了生活费买了好多专业书，目的是为了跟他有话聊。阮东升喜欢用中性笔，于是圆圆也丢了钢笔改用中性笔，尤其爱用哈密瓜味道的，当时那些真彩的中性笔笔芯收集了一大盒子。阮东升一个大老爷们，偏偏爱吃棒棒糖，圆圆就每天背一书包，碰到就塞一根给他。在大头贴最流行的时候，阮东升只要照来新的，圆圆就大吨位挡在所有人面前挑一张最帅的，贴到自己那个彩色的小本子上。那个时候吧，暗恋一个人，提到什么都拐着弯想到他身上，想让他知道，又不想让他知道，无比纠结，上学变得有意思起来，共同兴趣这个词儿不过都是为了接近对方的借口。

乱矫情。

直到初中，我妈都还叮嘱我多照顾圆圆，加上幼儿园咬了她胳膊，小学受了她帮忙，这辈子莫名就好像欠她点什么，于是我成了她的暗恋特助，专门负责帮她干一切跑腿丢面子的事儿：肖楠，帮我去买支哈密瓜味道的笔芯；肖楠，帮我去买这个月的星座运势，肖楠，帮我买两根棒棒糖；肖楠，帮我找阮东升要一张他的大头贴。

高中文理分班，阮东升学理去了一楼，我跟圆圆留在三楼，这天各一方的距离对圆圆来说就像活生生从祖国妈妈身上割了块地，当然她屈服不得，于是每节课课间都会拉着我去开水房打水，故意以慢放十倍速度路过阮东升他们班，看他在座位上安静看书睡觉听MP3，而我则在一群女生中间，举起一个Hello Kitty的水杯尴尬地接开水，后来实在忍不了了，我送了圆圆人生中第一个礼物，一个不锈钢杯子，超大容量的那种。

阮东升高中开始住校，平时除了上课，就是去食堂买了饭宅在寝室里，听他室友说，他活得就跟猫一样，以他的下铺为圆心，一米为半径画个圆，他准老实得待在里面，神神道道地自说自话，偶尔看看全是英文的星象书。圆圆为了掌握他的动向，还专门派我带着棒棒糖去他们寝室跟他从诗词歌赋聊到人生哲学，偶尔再指着北斗星算一卦，好不潇洒。

这还不算消停的，阮东升平时研究星星也就算了，一沉稳的内向小哥竟然在高二进了辩论队，圆圆背着我也填了申请表，我那肖楠两个大字儿写得比她自己的名字还漂亮。结果天不遂人愿，我跟阮东升被分到正方，圆圆分到反方，辩论赛题目赫然写着“高中生该拥有爱情吗”，圆圆当然就“你值得拥有”的理念发表了一系列高谈阔论，我知道台下的同学诧异的原因是，这样一个先天资本残缺的厚重少女，在饱受冷眼之后，除了能拥有学校门口的炸鸡柳麻辣烫和烤串外，她是怎么能如此幸福地高喊该拥有爱情的。

我也不懂。

所以我当下忘记该成为阮东刀队伍的搅屎棍，而磨刀霍霍向猪羊，操着我虽然变了声但仍然细到不行的嗓子跟圆圆辩论了起来。

“所有这些个单相思的小情小爱都是耍流氓，是挂着文艺皮囊的高级意淫，是24小时开屏的孔雀，全身都是笑话。”

圆圆气得高原红又冒了出来，她大吼，“对方辩友这是吃不到葡萄说葡萄酸，你压根没喜欢过谁，也无法体会买个肯德基都不能第二杯半价，全世界都在过情人节，你还是单身的感受！”

“你身为一个毛没长齐的胖子，谈什么单身不单身，喝白水的时候非得去学别人喝卡路里高的饮料，你不知道太胖的话有占用公共资源的嫌疑吗？是什么人过什么节，为过儿童节你是不是还得专门去撞成个痴呆啊。”

“对方辩友你这是人身攻击。”

“我这是骂醒你，真当自己望夫石啊。”

圆圆一急，“对方辩友放屁！”

于是这场辩论在全场哄笑中结束，事后圆圆跟我绝交了一个礼拜，她说肖楠你个孙子，说话能带那么多比喻，没见你作文考过高分啊，于是我特别长脸地在期末考试里，作文拿了五十四分。

作文的题目是：我的胖友。

写得那叫一个催人泪下，八百字里一半都在说因为跟青梅竹马的胖子朋友绝交后我的悔意，当着全班同学朗读完这篇作文后，圆圆息怒了，重新通过了我的QQ好友验证。

在这之后没少请她吃麻辣烫，还变本加厉地陪她暗恋阮东升，因为辩论赛上的表现，圆圆成了同学开玩笑的对象、PS素材、课间的谈资，甚至还收到过一两次没署名的长篇情书，好在她心宽体胖，一笑而过。高三那年，我跟圆圆约好，本来一起学美术考艺术生，结果她临时放了我鸽子，转头勤勤恳恳地背书做模拟卷。因为她觉悟，这场暗恋停不了，她要跟阮东升考去同一所大学。看着圆圆每天吊着俩黑眼圈，又因为压力性肥胖整个人肿了几个立方，作为革命战友我挺心疼的，尤其是我那时很笃定，身边这个胖子是没有幸福的，至少阮东升的世界里，根本容不下她。

拿毕业证那天，圆圆告诉我，她跟阮东升填了一个学校。

我回答，哦。

她说，我决定去跟他表白了。

她还是拉着我一起去的，远远地就叫了阮东升的名字，经历了惨绝人寰的高考，这个精瘦的少年还是这么好看，我实诚，人家脸上的五官排兵布阵是有讲究的，我这等简装的修炼八百年也赶不上。

还没走到他身边，他就笑得灿若桃花。圆圆方寸大乱，明显挪动的步子慢了半拍，她盯了我一眼，两颊的高原红又慢慢浮上来了，她咬紧下嘴唇。

“那个，我喜欢你！”阮东升脸也唰地红了。

我们现在距他大概两百五十厘米。

“你说什么？！”圆圆瞪大眼睛，一脸不可思议的嫌弃。

“哦，不是你，是你。”阮东升指着我说。

后来那天发生的事可以载入我人生史册，以至于长大后看过的所有玛丽苏韩剧和所有烧脑美剧，都不如这段情节精彩，那是我第一次被人表白。

“四月出生的白羊座，你的上升是天蝎，金星落在金牛座上，要天长地久的爱情，我落在双鱼座，要爱情不要面包，别说，我俩还挺搭的。”我记得当时在阮东升寝室，他帮我算星盘说过这段话，可我正咬着棒棒糖，满脑子都在回忆圆圆的金星落在哪。

搭来搭去，搭成了腐女眼中的佳话，常人眼里的笑话。

从此我再也联系不到圆圆。

一整个暑假她都刻意躲着我，几次去她家找她，她妈都说她不在，我妈质问我是不是欺负她了，我刚想辩解，莫名一阵愧疚涌上心头，圆圆这六年的暗恋，因为我，都付诸东流。

真是最可恨的欺辱。

最后一次去圆圆家找她的时候，他们的房子信息已经贴在了楼下的房产中介上，我妈说她那个从未出现的神秘老爸这些年在国外赚了大钱，仓促地把她们娘俩接走了。我上了QQ、空间、学校贴吧、所有一切能知道圆圆消息的地方，都杳无音信。这女人太狠了，绝交好歹也留个言吧，至少让我知道，哪怕你从此讨厌我，至少我在你心里也留了个念想啊。

时间再一晃就到了大学，我如愿考上了美院，学的艺术设计，每天就是做女红、染布、剪纸、画油画，作业一大堆，全靠体力劳作，不比当年高考轻松。中间两次高中聚会我都去了，我是我们班唯一一个学艺术的，自然懂点审美，顶着一头黄色卷毛，红色大衣吊裆裤出现在老同学中间，仍会被好事者拎出阮东升的事埋汰，我在人堆里扫视许久，都没看见那个熟悉的庞大身影，也没再听见她在我耳边唠叨。

这么大一团肉，竟突然就消失了。

该死。

大四毕业那年，大家都奔波于就业，大部分当初有鸿鹄之志开创新版图的同学最后都憋屈去了小公司做设计，每天在 PS 里存下一个又一个“修”“二修”“三修”“最后修”“最最最最后修”“妈的绝对最后一次修”的图层，被客户折磨得不成人样。我是属于那种小时候被欺负惯了，长大就绝不委曲求全的类型，所以一个招聘会都没跑，一封简历都没投，幻想等着最好的工作机会敲中自己。最后室友都找到工作实习了，就我无所事事，入不敷出，又好面子不愿问我妈要生活费，后来无计可施，便把之前的作业在人潮涌动的天桥摆了个摊。躲避城管的同时，练就了一嘴推销功夫，大部分功绩还得多亏当年跟圆圆一起参加的几场辩论赛，在把最后一条扎染方巾卖出去后，那个说南方口音的顾客问我，他是房地产公司老板，愿不愿意去给他们做销售。

于是我由一个拥有伟大抱负的潮流少年变成了金牌售楼先生。

一做就是三年。

当时我们老板的新楼盘叫“绯红榭”，名字还是我给取的，一共造了三期土楼，还有二十户左右的小别墅，开盘第一天售楼中心就被挤爆了。其实当一个售楼先生真没有太多技术含量，如今大中国三步一个土豪，心情好的时候下楼买个菜的空当就捎上俩楼盘，圈地为王，坐地起价，钢筋混凝土秒杀浑身名牌的虚假繁荣。

那天我同事手里的小别墅被一个富婆连买了三套。

我见过那个买家，看上去比我年纪还小，一头棕色长鬈发，随手拎着一个黑色小手袋，即使半个身子被披巾裹着，也能看出那妖娆妩媚的小身板。不用说，大家心知肚明，这类女土豪在我这没少见，花着别人的钱，糟蹋着自己的爱。

可我压根没想到，她就是圆圆。

她连名带姓改了一个非常琼瑶的名字，夏芷凝，拗口，还是圆圆好听。只是她再也不圆了，纤瘦的身子，皮肤白里透红的，颧骨上的肉没了，露出一双粘着假睫毛的眼睛，我特别沮丧，问她，“你的高原红呢？”

我都快哭了。

圆圆手里点的烟已经烧到烟蒂，一口没吸，她用修长的手指夹着烟，戏谑着说，“别怕，姐不会抽，点着装酷的。”

我真的快哭出来了。

圆圆高三毕业后被她爸接去了美国，自己犯了六年的傻也该是时候醒了，于是斩却过往从头来过，结果到了美国才知道，妈妈没有跟过来的原因是，她爸美国的房子里住着另一个女人，最关键是还抱着一娃。她早猜到爸妈已经离婚，却没想过她爸开了挂进度如此之快，跟这一大一小每天冷眼吵闹着过了两年，她忍气吞声，终于崩溃，辍了学直接逃回老家找她妈。

可能是老天动了恻隐之心，圆圆二十一岁那年，在屡次减肥失败放任自流后，丧心病狂地让她在半年时间里瘦了四十斤，她妈心疼这孩子是不是得了什么病，结果到了医院一查，除了血脂有点偏高外，一切正常。后来她越来越瘦，瘦成了怎么吃都不胖的体质，几次回眸之间，竟然有点像稍微打了点折的宋慧乔。

时间跨度再往后拉两年，她跟妈妈说南方有家广告公司想签她做模特，于是拎着行李箱就贸然南下了，结果在酒席间被那个所谓的老板非礼数次，一冲动，直接把桌上的叉子插进对方手背里，就是这么任性。

在被对方送了两耳刮子之后，圆圆成了南漂一族。

圆圆认识她现在的“老公”是在一个KTV里，对方穿着一身城乡结合的爆款，一看就是一内向的大龄理工男，圆圆起劲了非逼他边唱边跳《小苹果》，一个字都不能错，否则就罚酒，结果两人PK了所有广场舞金曲，喝得断了片儿。圆圆耷拉在理工男身上，嚷嚷着说她千杯不醉，理工男打电话叫车，她又呛他说这个点没司机接单的，结果不一会儿一辆法拉利停在他们跟前，上面下来一个立领风衣男，对着他就喊“老板”，圆圆没忍住胃里一口酒喷到人脸上。

第二天一早圆圆在头疼中醒来，理工男还在旁边睡觉，她侧过身，扯起被角遮住自己光滑的胸，然后发了漫长的一个呆。没人知道那静默的二十分钟她想了些什么，直到理工男醒后，从身后抱住了她。

他们好上了。

理工男对她的好特别实在，就是打扮她，衣服鞋子，各种名牌包包，估计小时候没少玩芭比娃娃，后来更是直接甩了张副卡给她，人不经常在身边，就换毛爷爷陪伴。

圆圆在我面前补妆，特别云淡风轻地说，“他说他是开餐厅发家的，但我从来没在他身上闻到油烟味；他说他特别爱我，但我看见过，他手机里躺着他老婆的号码。这么多年我悟到对付男人最聪明的招数，就是别主动，伤身伤心。男女之间，总归是有条界线，跨过去，就不会自由了。”

我骂她，“认识你这么久，没见你这么贱过啊。”

她冷笑两声，“肖楠，我们都长大了，我已经不是过去那个胖子了，我的人生里不会再出现第二个阮东升，我不会再要求任何一个人属于自己，不需要爱情，我要自由，你懂吗？很多时候，我们就是习惯依赖别人太多，就看不清如果自己一个人，能坚持多久了。”

而圆圆嘴里的自由，就是不用挤在窒息的一小截车厢里上班，不用看薪水决定中午吃超值套餐还是干脆热一个隔夜饭，就是可以摆脱手机的绑架，就是不用考虑对方怎么想。

就是假装自己爱他。

那个给她钱买楼的“老公”常年出差，我就见过他几次，果真如她描述长得颇为内向，话不投机半句多，唯一叫过我两次大名，还“N”“L”不分，叫得跟工藤新一的女友一样，内在外在都不是一路人，想用一些美好的词汇在他身上都捉襟见肘。

跟圆圆重逢的第二年，我爹妈开启高级催婚模式，我一冲动咬牙用内部折扣价付了“绯红榭”小别墅的首付，专门把房证扫描给他们发过去，证明我现在过得很好，万事俱备，媳妇分分钟的事儿。

哦忘了说，我跟圆圆成了邻居。

一时间我们仿佛又回到了小时候，有事没事约着一起吃饭、健身、泡温泉，她没有工作，但报了很多学习班，瑜伽烹饪拉丁舞阿拉伯语，每周的行事历满得比我们工薪阶层还要忙活。

圆圆每天出入小区跟走红毯似的，久了自然成了那些好事大妈的谈资，仇富仇得没一个好眼神，一个个见到圆圆都跟容嬷嬷附体一样，恨不得集体站队施展打小三拳。圆圆跟小时候一样心宽，丝毫不受影响，反正小区里名声再不济，出门拿着她那些 VIP 卡也能翻身做女皇。

说到 VIP 卡，大到精品店，小到连锁米粉店，圆圆所到之处均能享受店家五体投地的服务，可能是弥补她毕业后的不告而别，我也同样沾光走上了人生的 VIP，只是出于曾经“情敌”的愤怒，我成了她的专用拎包员。

临近年底，某大牌会员内购，圆圆看中一个钱包，转身在挑骷髅头雨伞的时候，听到后面有点吵，店员正在解释，“这已经是顾客挑中的货品了，很抱歉啊是最后一个了。”圆圆放下雨伞走过去，看到一个烫着梨花头、妆容夸张的妹子，趾高气扬地说她喜欢，要买给男友做生日礼物。店员为难，圆圆倒是很大度地摆摆手说，“没事，她喜欢就给她吧。”结果那个梨花女在从头到脚打量了圆圆跟我一番后说，“没必要，搞得我不讲道理，我们看谁的 VIP 等级高就谁拿吧。”

店员说梨花女是白金卡的时候，她脸上的玻尿酸都要笑炸了，但刷出圆圆这个顶级黑卡客户，还转向问我们，看中的七件货品需不需要结账的时候，梨花女的笑僵在半空中。

我长那么大，从没有这样的时刻，似乎感受到心里有一支香槟

“嘭”一声打开，泡沫四溅，空气里都是愉悦的香味，奥运会站上冠军领奖台，看着国旗升起的感觉也不过如此吧。

事后我跟圆圆都陷入沉思，她为啥要买一个女款钱包送男友。

到了圆圆的锥子脸姐妹生日宴，大家都对她的“老公”真容期待很久，但临近最后一刻，理工男放了鸽子，说人在香港回不来，以新款包包赔罪，圆圆气不过，人不到就算了，最关键是这款包他之前已经送过了。她死要面子把我搬了出去，我想也没想一口答应，我这奋力长了二十六年的脸和强劲的审美也是时候派上用场了。

就在这个生日宴，我们又遇到了那个梨花女。

有时候真觉得我们是上帝创造出来的 RPG 游戏人物，明明开启了庞大世界观的地图，但注定要遇见的人，无论是在新手村还是最终关的迷宫里，也一定会遇见，六度人脉理论有时甚至可以打个折，通过一个人就能遇上老熟人。

当我们跟梨花女话中带刺地喝酒装熟时，她的男朋友来了，我看了一眼，心想完蛋，于是猛地低头刷起手机，担心圆圆尴尬，于是用余光瞟她，她正就着昏暗的灯光补妆。

阮东升现在的职业是古典占星师，某时尚杂志的星座专栏作家，这么多年未见，除了他鼻子变得更大五官更英挺外，身上仍然一如既往地弥漫着一股神经病气质。

他显然没认出圆圆，被身边一群锥子脸各种猛夸长得帅还一个劲地推脱哪里哪里，都是女友漂亮，近朱者赤。我保持低头的姿势，心里骂娘，你个 Gay 要什么花言巧语。

圆圆大气地主动伸手跟阮东升问好，还叫了他的名字，估计是场地的灯光太暗，阮东升仔细看了她好久，才有点眉目。明显能感觉到他挺拔的站姿瞬间缩得像是犯了错的小孩。

“瘦了”，这是阮东升磕磕巴巴后说的第一句话。

他当然也看到了我，只是没想到我一整晚的局促最后都成了可笑的荒唐。我喝多了，跑到厕所里吐，吐到我觉得已经没办法正常走回包厢的时候，阮东升突然搀住了我，我害怕事隔多年后，他又跟我表白，我真不是爱情终结者。在我俩推搡之间，他突然提起当年的事。

话语间，我只听到了几个重点，他说，他最讨厌喝可乐，但当时军训圆圆隔三岔五就变出来一罐，他只能硬着头皮喝；他讨厌拍大头贴，但圆圆爱收集，于是拍了很多，想把自己的照片撑满她一整本；他最讨厌用有香味的中性笔写作业，但为了让圆圆能闻到远远飘来的哈密瓜笔芯味道，呛了自己好几个学期；他为了知道圆圆的星盘，还大费周章地接近我。他老早就喜欢这个胖子了，但总觉得她把自己当哥们，就连最后挣扎了许久在毕业操场的告白，也因为最后那点走失的信心而变成一个乌龙。

“哥们，你真玩死我了。”我扶住走廊的墙壁，想趴到他身上再吐一次。

“我以为你们会当玩笑，笑笑就过了的，其实后来我想找你说清楚来着，但很多事，就欠一个机会。”

“滚你大爷的，这词儿是那些打胎青春电影教你的吗，我们的青春什么时候这么矫情了，你喜欢她，你就说啊，她那个时候胖成那个鬼样子，往前五百年往后五百年，没人要她，你稳赢的。”我情绪激动，胃里翻江倒海。

“我一直以为她喜欢你的。”

我愣住，终于忍不住，吐了一摊胃液出来，真的太难受了，此时千言万语竟无法成段说出，只能苦笑道，“爱，其实很简单，只是我们把它弄复杂了。”

这真是我这辈子说过最娘炮的一句话。

后来吧，圆圆跟梨花女上演各种宫心计，梨花女在哪里美容，她就去哪，跟阮东升去哪个超市逛街，她就拉上我推着车买买买，就连他们去哪里旅行，她也屁颠屁颠地跟着飞过去。我呛她这是何必呢，不是已经不在乎爱情了吗。圆圆翻着白眼说，我就想知道，这女人到底啥能耐，能把阮东升拿下了。我没有搭话。

一个月后，圆圆的副卡突然失效了，理工男人间蒸发，电话关机，到这时圆圆才醒悟，她根本不知道能如何联系上他。圆圆想把三套别墅卖一套兑现，结果我去公司一查，户主根本不是她，更戏剧的是，后来这三套房子也充公了。没人知道理工男在香港做了什么，总之就像电影里演的那样，所有财产瞬间化为糖衣，食不果腹。

断了经济来源，圆圆现了原形，七夕节那天去阮东升和梨花女常去的餐厅当电灯泡，又见证了他向梨花女求婚的全过程，偃旗息鼓过了一段特别颓丧的日子，每天就以酒精麻痹神经，大脑浑浑噩噩全是过往片段。

就连我这个青梅竹马，只能暂时接济她，把二楼的房间腾出来给她住，对于心理上的督导，全然束手无策。她的性子我太了解了，骂没用，打不听，她心里自有一个权衡利弊的天平，什么时候倾倒，什么时候保持平稳，所有怪力乱神学术上解决不了的心思，她都能自我消化。

她买了好多时尚杂志，阮东升写的那些专栏她都认真拜读且批注过，偶尔还会跟我讨论，提出质疑，因为说到底，她也是研读过星相学的人。除了看杂志的时间，她都一个人闷在家里喝酒，不怎么进食，于是愈发消瘦，瘦到见她顶着一颗大头我都会心疼她的脖子。

终于在她第三次醉在 7-11 门口时，阮东升把她扶了起来。圆圆瘦小的身子被他包在大衣里，贴近他胸膛，心安稳许多，她把袖子艰难地撩起来，露出胳膊肘上一圈圈白色的纹路。

她兀自说，“这是每个胖子瘦下来后留下的证据，跟妊娠纹一样，很多是吧。你越想忘记，就越记得清楚，就跟人一样，拼命喜欢的时候放在心里，想念的时候，就一直放在脑子里。你想从头来过，想否认以前的一切，不可能，回忆就是最大的证据。”

那晚阮东升听着圆圆的碎碎念，一直把她护在怀里，保持沉默。

这之后的一段时间，阮东升都像单身贵族一样守在圆圆身边，陪她卖掉家里堆成山的包包，帮她介绍了一份还算轻松的文秘工作，也是第一次带她去这个城市的边边角角走了走，以至于圆圆全然忘了，他家里还有个不入法眼的未婚妻。

圆圆问过阮东升，到底喜欢梨花女什么，他说，真实，特别真，就跟当初的圆圆一样。

听到这里圆圆眼睛就红了，他们两人端着一罐德国黑啤酒坐在日落的江边，不停有过往的江轮鸣笛，美得好像是一幅油画。

“我真喜欢过你。”阮东升说，那个“过”字也真的特别刺耳。

“少来，你少不更事的时候，就喜欢过肖楠吧。”圆圆笑着说，远方的我躺枪。

阮东升心弦一紧，挖空心思讲了大实话，过去那些一点一滴的暗恋都串成线索，一路身经百战坚挺到现在，给了圆圆实在的一耳光。

圆圆因为太生气把啤酒罐捏得变了形，啤酒洒满了一手，阮东升刚想制止，她一股脑把罐子丢到江里去，然后拎起小包撇下阮东升头也不回地走了。

那晚我去找圆圆，跟她吵了本世纪最大的一次架，估计一辈子吵架的巅峰也就如此了。

圆圆红着脸大吼，“我再说一次，我不需要爱情，爱情就是狗屁，生理功能失调，人格魅力丧失才需要的东西！”

“你被陆琪洗脑了吗，要做独立女性，当年那个为爱骁勇善战，恨不得在娘胎里就鼓吹爱情的人死了吗。你根本不喜欢那个理工男，非得把自己活成个小三，在乌托邦里过得安稳，何必呢！你不在乎那钱，我知道，这根本就不是你。”

恍然间回到当年那场辩论赛，我们身后巨大的幕布上，投影着辩论主题：“高中生该拥有爱情吗”。站在我对面的圆圆，正在面红耳赤地喊着，她需要爱，非常非常需要。

保持这样的节奏，我们大吵三百回合，从白天吵到黑夜，直到我把矛头指向阮东升，说他已经去民政局跟别人扯了证，她的情绪突然峰回路转，像世界杯赛场上的球员，冷不丁把球踢进了自己的球门。

“你不需要我，我不需要你，喜欢一个人能喜欢到这般独立，那都是放屁，我没那么大能耐，我也不可能被你伤害了，还跟没事人一样，能用时间磨平的都不叫伤口，那叫记性不好。说真正的放下是不动声色？删掉号码？我又不是菩萨，你离开后过得比我还好，我就不甘心。我需要你待在我身边，需要时时刻刻感受到你在乎我、爱我，需要你带给我很多很多，我想把对你的所有欲望都写在脸上，我憋不住，我也受不了。我这辈子最后悔的事，就是当年喜欢得不够实在，结果你说你在我最喜欢你的时候，偷偷喜欢我，滚大爷的，我不干了！”

带着脏字的一番话说完，圆圆眼圈就红了。

“对方辩友，你赢了。”我缴械投降。

听完这话，圆圆捂住脸，放声哭了出来，最让我心软的是，她的脸颊开始泛起潮红，那个高原红胖子回来了。

想起我给阮东升打电话那天，看到圆圆在 7-11 门口酗酒，在电话里我把圆圆从初中开始的暗恋都一五一十告诉了他，从星盘上来看，他们还是挺配的，只是金星落在天平上的她，少了一份承担；落在双鱼上的他，又少了几分勇气。我告诉他 7-11 的地址，就当帮忙，让他找她去。

错过的公交车可以等下一辆，要等位的餐厅也可以换一家，但决定人生轨迹的事，却经不起这番妥协的，从一而终的道理自己都懂，但做不到，努力也不见得好，所以有时候，不怪世界不给回声，只怪自己喊得还不够响。

这个故事暂且到这里画上句号，你也许会骂句娘质问我，后来呢？后来，或许圆圆的“老公”又出现了，或许她跟阮东升在一起了，或许她在阮东升和梨花女的婚礼上悄悄抹了泪，或许她又不告而别，消失在这座充满戾气的城市里。

其实，很多“后来”对我们来说都已经不重要了，每个故事都需要一个结局，但没有结局的，我们把它叫做人生。

上高一的时候，我们班来了一个刚从国外回来的英语老师，思想特别前卫，她当着全班同学的面，在课上说，如果将来，你们要和女朋友分手，不管是出于什么原因，谁对谁错，作为男人的你们一定要和女孩说一句：很抱歉，耽误了你这么长时间。

当时听完这话我深有感触。

思绪回到第一次碰见长得像藕的胖纸圆圆，再往后，帮我出气的她，爱吃麻辣烫的她，喜欢阮东升喜欢到失心疯的她，还有收到我给她写的情书以为是别人恶作剧的她，好多好多的她，跟我在一起的她。

突然很想把老师那句话改一改：如果将来，你们要和喜欢很久的人告别，不管是出于什么原因，谁对谁错，作为男人的你们一定要和女孩说一句：很抱歉，喜欢了你这么长时间。

此时此刻，就成了我的人生。

路那么难走，可你敢喜欢上我

有的人平步青云，挥一挥手就能激起千层巨浪，有的人努力半辈子才能走到别人的 1/3，且别人是开车的，自己是一徒步旅人；有的人生下来脑子就能开发成《超体》的 Lucy，能说会道，看破世间百态；有的人给阳光都灿烂不起来，脸皮比包烤鸭的面皮儿都薄。

说这个世道不公平，有人会站出来说人人平等；说公平，身上住满怨气的人能哭上三天。

这件事如果有标准答案，世界该有多么美好。

平凡女董蕾，自幼生在东北小城，人生座右铭是，能省则省，但给自己起了一个特别白日梦的外号——董大发，见谁都让人叫她“大发”，在这个美好的寓意下，她有一天一定能成为富婆，笑傲群雄，把过去省吃俭用受过的罪悉数补回来。

但质量始终是守恒的，一个连钱都花不出去的人，也没多余的空间把钱赚回来。至少到现在，她仍然在“穷”这个字上非常站得住脚，在路人甲的身份上也能立个金字牌坊。

董蕾酷爱旅游，但长这么大就去过石家庄、大理，唯一一次出国去清迈，还是提前一年抢到的廉价航空票。她的终极梦想旅行地是美国，向往洛杉矶，半年前就狗屎运爆棚用几乎白本的护照过了美签。在她毕业那年看完第一百零八部跟美国有关的电影后，赫然进了一家新兴的网络公司，做一款旅行 App。

就像在银行数钱的最没钱、餐馆里做大厨的只能吃面一样，董蕾搞定了无数诱人的团游产品，送走了一批又一批客人，自己却只能限制在两平方米内的工位里，对着电脑屏幕意淫，加上老板又是一个“大家好，才是真的不好”的典型守财奴，干着服务全人类的工作，拿着乞丐不如的工资。即便平时再省，也填不饱她的美国梦。

不久前，他们的旅行App进来一笔新的融资，数额之大让董蕾的老板都委屈成了小股东，大笔资金滚进来后的第一个项目就是专供高端客户的环球邮轮行，老板想都不想便让董蕾来负责，说做下来有大奖励。董蕾以为春天来了，结果新来的股东比她老板还难对付。在策划案被打回第五次的时候，她疯了，强制关了电脑，嚷嚷着老娘不干了，大摇大摆走出空旷的公司，奢侈地打了回出租车，到家后，她喝了满满一瓶水，然后坐在电脑前，打开了那份策划。

在人民币前，自尊心会变得特别卑微，见到粉红票子上的男人，再爱无能的人，也能爱到惊天动地。

董蕾几乎是哭着改完策划的，其间看到某购物网站的双色球广告，说什么实现一夜暴富的梦想，她觉得胸闷，手贱买了人生第一张彩票。给新股东传完策划终版，还客气地说了一句“您看看”后，董蕾骂着脏话把美国攻略点出来看了一遍，心想，董大发，拿到奖金，务必直抵洛杉矶，没有任何可商量的余地！

最后，案子是通过了，项目也上线了，作为奖励，老板给她发了一张大闸蟹的提货券。

董蕾当场就想把舌头当棉花糖咬几口暴毙得了，她这卑劣丫鬟命，除了在大排档吃过一次炒花蛤还拉肚子后，胃里就再也没接触任何来自江河湖海的朋友，吃不起，也没必要吃。更何况，她看着提货券上写着“六只价值1089元的母蟹”后，价值观又再次崩盘了，如果花一千多块就为了吃那屎黄色的蟹黄，她宁愿去买一火车的咸鸭蛋。

颓丧的董蕾过了几天行尸走肉般的生活，连去菜市场跟大妈砍价的动力都没了，在早晚高峰的地铁里挤成白痴，吃面条的时候唯一一块牛肉掉在地上，她觉得这个世界充满了敌意，以前最多只是绝望于没钱的穷，现在发现无能的穷更让她绝望。

三天后，她收到短信，说双色球开奖了，她鬼使神差地打开网页，看到最新出炉的大奖数字，觉得刺眼，又多看了几遍，然后打开自己的购买记录，逐个数字对照。

高考数学三十八分的光荣战绩还搁档案里躺着，她说我一弱女子，不怕蟑螂不怕蛇，不怕血不怕打针，就怕数字排兵布阵。碰到一百块以上的账她都晕，也活该一辈子兜里只装得下零钱。

她中奖了。

红球蓝球数字全部正确，她数了数奖金的位数，个十百——三百六十——哦，少看了一位，三千六百五十八万，二十四小时内入账。

她狠狠给了自己一耳光，痛得直飙泪。心里就像飞船发射，恐怖分子又撞了一次高楼，天空破了洞跑出一堆来自外星的怪力乱神，任何有关激动的高级词汇都形容不了。

坐拥三千万巨奖，董蕾身子发烫，心怦怦跳得比弄堂外施工的声音还大，满脑子都飘着弹幕“我成富婆了”。突然眼前一片雪花，她甩了甩头，极力想控制情绪，但越用力，美国的国旗就越是明显，直到整个视界都是一片蓝红色。

她用了所有存款，买了一张第二天飞往洛杉矶的头等舱机票。

农民翻身做地主，瘸子也能一百米跨栏，从此以后，那每个月三千块薪水的工作就可以把自己搓圆，滚出她的世界了，她的座右铭也可以换了，没有永远的能省则省，只有永远的买买买。

第二天董蕾直接翘了班，盘起长发，背着一个巨大旅行包，还化了个白了俩色号的妆，到了机场更是大手笔买了件串着金丝的开衫，像个忙于公务的日本公主在贵宾休息室里看《China Daily》。等到她的那班飞机进港后，她像做贼似的查了自己的户头，见奖金还没入账，心想怎么也没个工作人员通知，于是把购买记录打开。

那张彩票不见了。

后来打了客服电话才知道，他们的系统需要确认才生效，否则时效一过就会以两元价格退回彩票发行商。而她忘记点确认键的原因，是因为当时那个难缠的股东又发来了新的修改建议。

新仇旧账一起算，董蕾觉得世界对她不仅只是恶意，而且是很想置她于死地。

登机广播上在念董蕾的名字，她的潜意识没办法接受这是个笑话，更没办法对着大洋彼岸的美利坚说声，抱歉，尘归尘土归土，路人甲翻身仍是农妇。她拎着已经短路的脑袋，还是飘上了飞机，瘫坐在舒适的头等舱椅子上，觉得这一切，像一场梦。

后来认识 Aaron 大叔也是在这架飞机上。他坐在董蕾旁边，因为空姐几次想为董蕾服务她都一副要死不活的样子，于是出于好心帮她点了果汁和牛排，Aaron 是个典型的儒雅中年男，寸头黑框眼镜，一身精致的白衬衫搭上丝绒马甲，轻轻动一下身子，就能闻到特别的檀木香水味。他以为董蕾失恋了，在飞机起飞没多久，就主动安慰，说你们小朋友就是这样，以为整个世界塌了，再也遇不到这样的人了，结果遇到下一个的时候，才知道当时多傻，脑子进水了才花时间给自己添堵。Aaron 的声音很有磁性，像是勤勤恳恳的两性节目 DJ。董蕾不知道听见与否，没做任何反应，过了一会儿，眼泪才扑簌扑簌地掉，说她是失恋了，三千万放了她的鸽子。

董蕾哭着讲了彩票的故事，说她花光所有的积蓄上了飞机，她甚至连酒店都没订，十二个小时落地后，就要露宿在洛杉矶的街头。哭声让头等舱的乘客差点给空姐投诉，Aaron 捂住她的嘴，问她叫什么名字，她艰难地嚅动着嘴唇说，“叫我大发，想发财的发，穷骨头发烧的发。”

“好，大发，你先别哭，我们做个交易，我可以负担你在 L.A 的旅行经费。”大叔在她耳边细声说道，额头皱起的抬头纹无比性感。

董蕾立刻由哭喊转为抽泣。

“但是，你得为我做一件事。”

洛杉矶就像是一个慵懒的醉汉，看不到像纽约鳞次栉比的高楼，宽阔的路上行人很少，来往的都是各色的私家车。迎着落日的余晖，董蕾跟 Aaron 去了他位于西好莱坞的豪宅，几个小时前，她在飞机上答应大叔，扮演他的女友，应付来洛杉矶突击检查的家人。

不过这次会晤不太顺利，即便董蕾已经克制住看到他们家奢华家具尖叫的冲动，但仍然难掩满身的市井气息，Aaron 妈心里不是滋味，质问 Aaron，“这就是你说的那个知性得体的女朋友？”

倒是他爸对董蕾有种莫名的好感，尤其是看到她被身后旅行包压得挺着肚子，煞有介事地伸手问好，说“叫我大发”，还故意扯着自以为昂贵的金丝衫笑得傻呵呵的样子，觉得跟他这些年见过的女孩子不一样。

Aaron 把二楼的小房间留给董蕾，说是不限量畅睡，只要二老在家时乖乖当好小媳妇即可。那几天，董蕾不是在 Aaron 妈洗澡时闯进卫生间，就是自以为孝顺地把她的名牌裙子丢进洗衣机里搅，梁子越结越大。Aaron 很及时地成为润滑剂，一没工作的时候就开车带董蕾出去玩，他说话很慢，但思路清晰，而且是个全能的百科全书，从牛排哪个部分最好吃到好莱坞女星的桃色花边新闻，无不知晓。虽然是个不惑之年的大叔，但很懂幽默，平时身边都是些智商情商爆表的名流，难得遇上一个智力还未开发的青少年，于是常逗她，开在比弗利山庄的路上，讲起名流的八卦，她听得带劲，末了告诉她一句“现编的”，气得董蕾嘟嘟囔囔，Aaron 止不住笑她。

董蕾在每一个地标处都比着“Yeah”拍了很多照片，终于圆梦美国，要把每一寸土地都走遍，看过的每一处美景都记录下来，生怕梦醒后吃了亏。被那张彩票戏弄之后，董蕾还是那个斤斤计较的小城姑娘，更何况现在寄人篱下。

有好几次 Aaron 都怀疑给她的旅行经费不见少，是因为吃饭不给小费，董蕾叫屈，说入乡随俗这点原则还是有的，平时能喝公家的水就不买两美金的矿泉水，能蹭 Aaron 的车就绝不花钱叫车，一个合格的守财奴必须得明白——没有它死不了就坚决不买。赚钱她不行，省钱还是可以申请个吉尼斯世界纪录。

Aaron 又气又无奈，觉得这女孩虽然糙了点，但满身萌点。

夕阳下，董蕾沿着圣塔莫尼卡的海岸线静静地走在前面，Aaron 跟在后面，看着她的背影，半个身子都被巨大的旅行包挡住。只见几只海鸥飞到她头上，吓得她直接跌进拍来的浪里，Aaron 忙上前扶起她，坐在岸边帮她拧干牛仔裤上的水，看着她心疼旅行包的样子，忍不住咧嘴笑着问，“里面装着宝贝啊？”

董蕾不语，拉开旅行包检查里面的东西。

“这包不是你的吧，这牌子都是老爷们儿用的。”

“你想说什么！”董蕾睥睨着眼护住旅行包。

“小市民吧有三个缺点，鸡贼，怕吃亏，揣测动机，你三个全占了。话说就你这生活方式，为什么会喜欢旅行啊？”Aaron 从烟盒夹出一根细烟，刚想点，愣了一下又放了回去。

“干吗，瞧不起小市民啊，我又不爱名牌，一年甚至两年花一次钱旅行，给我自己一个盼头。再说了，在一个地方待腻了，总想去别人待腻的地方看看。”

“一般人找盼头，不会选 L.A，你知道美利坚有多大，旅行成本有多贵吗？千方百计过来，还被一张彩票套牢了，够滑稽了，要是没遇上我，你现在在哪，说走就走四个字好写，但后果你有想过吗？”

董蕾突然站起来，“我就是喜欢这里啊，我向往这里的一切，我连衣服裤子打湿都特别开心，你知道吗，来到这儿之后，好像之前所有问题都解决了。”

“丫头，旅行不能解决任何问题，”Aaron 看着远方的浪，接着说，“旅行，都是用来逃避问题的。”

后来董蕾在扮演女友这件事上终于找到窍门，就是当作自己已经死了，不出声不做反应，每天催眠自己“她看不见我”。家庭日当天，难得战火消停的 Aaron 妈说想吃西餐，Aaron 自告奋勇要亲自煎牛排，一大早扯着董蕾去农夫市集买了食材，结果再完美的大叔也有缺陷，这牛排要么煎得咬不动，要么用刀一划全是血，最后一家人只好硬着头皮吃了些现成的沙拉。董蕾见 Aaron 爸晃着脑袋说没吃饱，于是开了冰箱用现成的食材连烤带蒸地弄了一桌子菜，她说可惜这里不能炒菜，不然可以把整个东北馆子搬来，像他们这种人，如果不会下厨，都不好意思叫自己工薪阶层。Aaron 爸吃得很开心，唯独 Aaron 妈从始至终都拿叉子，执拗地刮着沙拉盘子里最后一点蔬菜。

董蕾知道 Aaron 妈不待见她，但从未想过讨好，心想又不是真的婆婆。可后来 Aaron 妈这场阻击战又加了码，直接把她的旅行包丢了，说是又脏又旧，搁家里以为是垃圾，她彻底崩溃，“你明知道这个包是我的，有必要这么针对我吗”，董蕾哭着朝 Aaron 妈又吼了两句难听的话，在外面的垃圾箱找了整整一夜。几乎翻了整条街，在快虚脱的时候，一身狼狈的 Aaron 拎着包出现在她面前。

董蕾把包里的“垃圾”倒出来，T 恤、公仔和一大摞的攻略书、票券，她哭着说，“你问我为什么千方百计要来洛杉矶，因为我男朋友的梦想旅行地就是这里，说好了要一起来，我带着他的东西，拍下无数张照片，证明他终于来过了，好让病没白得，最后成了灰也没白烧。你说得对，我一直都在逃避，我向往旅行，是因为不想一回到家就要承认只有我一个人的事实，我每天算计钱怎么花的时候，才知道我一个人是可以活下去的。你们这些有钱人，怎么能体会这种苦，你会因为今天的空心菜多砍了几毛钱就吃起来特别香吗？你会因为老板多给你发了几百块奖金于是甘愿做牛做马吗？你能感受到本来两个人就不容易，结果硬生生再给你少一个，打了对折的人生，那种到死的委屈吗？”

Aaron 把她拽到怀里，成熟男人的霸气用一种温暖的方式淋漓尽致地表现出来，董蕾在他怀里大哭。Aaron 的针织衫上，是烟草混合香水还有垃圾的酸味，那个味道，她一辈子都不会忘记。

那晚，Aaron 带她去了家对面的酒吧街，他们拎着酒瓶一家接一家地换，手上盖满了戳。在一家有乐队驻唱的店里，Aaron 上台唱了首 James Blunt 的《You Are Beautiful》，董蕾在下面尖叫鼓掌，还提着嗓子大吼 Chinglish，“too old”，于是 Aaron 叫乐队都停了下来，清唱了一段《董小姐》。

所以那些可能都会是真的董小姐
谁会不厌其烦地安慰那无知的少年
我想和你一样不顾那些所以
跟我走吧董小姐

有那么一瞬，董蕾有些恍惚了，虽然歌词是宋冬野写的，但此刻突然好想说服自己这些都是 Aaron 甘愿唱的。的确，他家有一片草原，随你飞奔，也有几颗地雷，踩上去分分钟粉身碎骨。

董蕾喝得有些眩晕了，Aaron 牵着她往外走，到了门口，停着一辆银色马车，董蕾眼神迷离地看向他，只见他点点头，然后两个人坐在马车上，在入夜的日落大道上“嗒嗒嗒”地晃悠，董蕾兴奋得想尖叫，Aaron 捂住她的嘴，结果被她一口咬住手心，疼得眼泪都流了出来。

这晚之后，他们直接忽略了年龄代沟。他们一起出海钓鱼，一起在 In-N-Out 分吃一个热狗，一起去 Universal Studio 玩遍所有游戏抱一堆大公仔回家，就连 Aaron 工作的时候，董蕾也默默在一旁烤饼干给他吃。

有一次，Aaron 想帮她背那个旅行包，她说没关系，不沉，已经习惯了。Aaron 说，那是因为你心理上习惯了，你一个人背了它那么久，其实挺沉的，我都觉得沉。

董蕾肾上腺素“噌噌”直飙，当场感动得就想扑到他怀里，但在两秒后理智占了上风，红着一张上过颜料的脸对大叔傻笑。自此，这趟遥远的旅行，除了替男朋友完成未完成的遗憾，突然多了一种留下来的理由。

董蕾问过 Aaron，为什么他这个条件不找个女朋友，还用最蠢的办法应付家人，当时 Aaron 并没有回答她，她还开玩笑说他要么性无能要么是同性恋，后来她知道了，在那段如同电影定格的沉默里，Aaron 回想了无数遍薛嘉丽的样子。

感情的事，真的习惯就好了。

薛嘉丽是 Aaron 的前女友，哈佛高才生，长发媚眼 S 身材，一个月前跟Aaron分了手，但又以正牌女友的身份出现在Aaron的家里，还跟 Aaron 妈一见如故，拆穿了 Aaron 和董蕾的谎言。

他们分手的原因是，男方一直忙于事业，薛嘉丽却总在对方够不够在乎自己、爱自己这件事上纠结，在几次无休止的争吵后，女方在酒会遇上了更年轻的，肉体出了轨。出于女性骨子里那种我不想吃的东西，喂狗也不会便宜别人的自私，她又回来了，伴着喋喋不休的嘲讽，处处与董蕾针锋相对，甚至最后直接把董蕾的行李全部堆到了房子外面。

“你们家怎么都兴随便丢别人东西啊！”董蕾嚷道，“是 Aaron 让我住在这里的！”

薛嘉丽说，“亲爱的，梦该醒了，他对你，不过是做公益献爱心罢了，那个房间常年空着，来个人扫扫灰挺好的，你根本不属于这里，还瞎折腾什么呢。”

直到现在想来，董蕾都觉得那时的薛嘉丽其实很可怜，一切以自我为中心，肆意浪掷爱情，把欲望表现得尽态极妍，以为就可以得到一切，但最后还不是只能铩羽而归。

不是都说了，可怜之人，必有可恨之处。

那晚董蕾靠着行李直接睡在大街上，梦里出现很多跟男朋友在一起的画面，从毕业那会儿一起规划旅行版图到后来牵手踏上洛杉矶，她坐在观光车顶，阳光过分热烈，一双手把地图摊开挡在她头上，董蕾回过头，居然是Aaron。画面此刻被按下后退，男朋友虚弱地躺在病床上，身上插满了管子，呼吸罩上全是雾气，他笑着眯起眼，艰难地伸出手，跟她说“再见”。

董蕾早晨醒来的时候，自己正躺在Aaron的车里，她眼角噙着泪，默默注视着在旁边抽烟的Aaron，他眉心紧蹙，一夜没睡的脸上铺满倦容，见董蕾醒了，果断而内疚地摁灭烟头。

Aaron对薛嘉丽来说，就像是一件能让她后半辈子高枕无忧的传家宝，平日里束之高阁，自己需要的时候，随时都能把它取下来。那天在车上，董蕾问过Aaron还爱不爱薛嘉丽，他的答案模棱两可，他说他拥有全世界，没什么可怕的，唯独薛嘉丽是他的弱点，或许是因为看着她从哈佛毕业、工作，从一个独立有想法的女孩变成穿着V领低胸流连在霓虹和杯盏间，最最普通的那种漂亮女人。他知道她需要很多，不仅是钱，还有爱，他自认没有爱她到忘我，但也绝对赤诚，Aaron觉得她最后离开，也是他一手造成的，她一定觉得自己不够爱她吧，但爱情是有约束力的，也是有原则的，谁不是彼此依赖又独立呢。他放下自尊挽留过，但她最后还是选择了要走，或许每一段无法继续的爱情，总要有一个负责保存它的人，这样才能让另一个人安心往前。

“大发，要不要给你买回国的机票？” Aaron 抹了把脸，问她。

董蕾瞪着通红的眼睛，诚惶诚恐地看着他，“你是赶我走吗？”

“我是不想伤害你。”

“是你教我的，放不下，就坦诚地接纳它带给你的伤害，刻意回避是解决不了问题的，”董蕾咽了团口水，“我不会走的。”

董蕾真没回去，勇敢继续住回她的小房间，跟薛嘉丽就像是两个后宫争宠的妃子，争着在全家人前表现，薛嘉丽每天打扮得都跟杂志大模似的，董蕾就学她捯饬自己，结果事倍功半顶着一鸟巢把 Aaron 妈吓得咖啡溅一身，还是刚煮的。但薛嘉丽在厨艺这方面就完全少根筋，见 Aaron 爱吃董蕾做的烤饼干，于是自学效仿，结果出来的饼干跟泡菜缸子里涮过一样，一般人分不清楚盐跟味精，她连盐跟糖都分不出，好歹舔一下啊，小姐。后来薛嘉丽索性偷董蕾的食材，结果用了过期的可可粉，好巧不巧那天做出来的饼干全被 Aaron 妈吃了，当天就食物中毒，去医院挂了急诊。

事后薛嘉丽污蔑是董蕾给她的可可粉，虚弱的 Aaron 妈也一口咬定董蕾就是看不惯她，董蕾委屈地想跟 Aaron 解释，但他关心他妈的病情，根本听不进去，两个人闹了好大的别扭，董蕾把自己锁在房间里，几天都没出来见他。

Aaron 妈病好后，Aaron 带全家去拉斯韦加斯度假，Aaron 妈指定要带着薛嘉丽，说这些天都是薛嘉丽在医院照顾她，两口子吵架可以认真，但和好也必须是认真的，她很喜欢薛嘉丽，每次见面都会送她一堆大小件。一路上薛嘉丽都殷勤地挽着 Aaron，说了很多悔不当初的话，Aaron 置若罔闻，像个情趣用品店买的充气娃娃，全程冷冰冰无表情。

说也奇怪，他们到酒店办理入住的时候，电脑显示薛嘉丽自己订了一间房，刚好给 Aaron 台阶下不用跟她住一间，好不容易等到两人可以独处的时候，时不时就会上来一两个问路的中国人，让 Aaron 和薛嘉丽变成了人工 GPS。

晚上他们去看太阳马戏团最出名的 O 秀，进行到高空跳水的单元时，杂技演员下台来邀请观众，Aaron 很不幸被选中，个子高挑成熟有型，立刻引起了全场老外的喝彩。薛嘉丽在一旁尴尬地解释他有恐高症，在 Aaron 面露难色的时候，坐在他们后面的董蕾突然出现了，大吼道，“Let me go!” Aaron 一行人大惊，还没来得及反应，董蕾就被新一轮的掌声推到了台上，她被套上戏服，装上威亚，由几个杂技演员护送着爬上了铁梯子。

Aaron 仰着脑袋，喊出的一声声“No”淹没在欢呼里，心里全是自责，觉得没保护好她。

他还记得董蕾倒时差那几天，清晨五六点叫他出来看日出，她说，“其实你这个大叔真的挺好的，年长，阅历多，能陪我聊八卦当愤青，也能教我什么是真正对我好的，守本分又有分寸，感觉我吸一口气，你大概就知道我要说几。要是哪个姑娘栽在你手里，应该就逃不出来了吧。”

董蕾从十几米高的空中被推下来的时候，Aaron 身体摇晃了一下，感觉有些缺氧。

结果从水里冒出来的，是一个专业的杂技演员，而董蕾从红色幕布后面走了出来，吓得缩成了一团。

后来 Aaron 才知道，董蕾这一路都跟着他们，酒店房间是她捣的鬼，那些莫名来问路的中国人，也是她安排的，她当然没那么大能耐，全仰仗早已跟她达成统一战线的 Aaron 爸。

第二天，薛嘉丽单独约董蕾在一家意大利餐厅见面，席间聊到很多她跟 Aaron 缠绵悱恻的恋爱往事，还一定要土俗地拿一张支票出来让她知难而退，董蕾心想果真跟电影里演的一样啊，她接过支票来回翻了翻，视监了上面的数字后，心满意足地退回去。她答应来这场鸿门宴，就是要表明立场，清理门户，钱对她来说是真的很重要，但钱后面的那个人更重要。

“说吧，你到底想要多少？”薛嘉丽失了耐心。

“你别说了，我喜欢他。”

“Oh shit，小姑娘，你真以为自己在拍电影啊？北京遇上西雅图？搞异国恋吗？你知道他是谁吗，他公司的市值，他的经历，你一个在国内拿着基本工资，每天为生活发愁的人，知道怎么爱他吗？！”

“当然，在爱他这件事上我肯定做得没你好，但我知道他工作的时候喜欢吃我烤的饼干，知道他唱《董小姐》唱得特别好，知道他绝对不会在我面前抽烟，知道他玩游戏很厉害，知道他很会开我玩笑。”

“笑话，Aaron 很成熟的。”薛嘉丽不置可否。

“他可跟别的成熟男人不一样，他们对你好，给你花钱就是了，但他有一百种哄女孩开心的方法，一种是花钱，但还有九十九种。”董蕾抬头盯着她，眼神凌厉，“或许你只看到那唯一一种吧。”

是啊，如果一个男的总是让女友感到他的成熟，这个女人可能根本没有走进他的内心，要知道，男人至死都是少年。

那天，董蕾转述了 Aaron 在车上的那番心情，她还说自己不会放弃的，接下来，就让 Aaron 来决定吧。薛嘉丽哭得特别伤心，眼泪泡着眼线，整张脸像个挂着指示灯的施工现场。

要问董蕾在 O 秀自告奋勇跳水的那刻怕不怕，她的答案是肯定的，她说站在十米高台上，视线都要被聚光灯打散，但她知道 Aaron 就在下面，她必须得跳，就像她知道有他在前面带领着，就能安心收起这些年作茧自缚的保护壳，用一个更好的自己，学习如何去爱。

他们启程回洛杉矶那天，董蕾知道 Aaron 的跑车坐不下，自己早早买了灰狗巴士的票，结果在巴士中间站上完厕所，晕乎乎地上了反方向的车，在沙漠里又开了一会儿才反应过来车上都是陌生乘客，吓得直接下了车。她自信自己能走回休息站，结果迷失在茫茫无际的沙漠公路里，举着手机到处找信号，直到没电关机。入夜后的沙漠鲜有车辆，一片直截了当的黑，她蹲在草丛边，哭不出来，直勾勾地盯着四周，生怕跑出来什么狼人或者电锯杀人狂。

最后是 Aaron 的车灯刺得她眯起眼睛。Aaron 温柔地把她拥在怀里，说从他们相遇那天，就互相帮了对方一次，在 O 秀上她又帮了一次，这次换作他，他们就扯平了。董蕾放肆地闻着他 T 恤上的香水味，伴着哭腔责问，年纪那么大，怎么数字算得那么清楚啊，但我还记得你很多好，怎么能还得清。

“为什么自己走了？”

“不想让你难堪啊。”

“大发。”

“嗯？”

“留下来吧。”

Aaron 知道，女人受到委屈后最需要的是肩膀、是陪伴，而不是一个冷冰冰的解决方案，董蕾这些年一个人生活，无论是金钱还是感情都捉襟见肘，她就是接受了所有方案，拼命省钱，拼命想为死去的男朋友做点什么，拼命见习那句必须非常努力才能看起来毫不费力，但其实她看上去累极了，其实她最需要一个拥抱。

故事的结局要快进到一年后。

董蕾把新出炉的烤饼干打包封箱，心满意足地在自己的账簿上又添了几笔。没了旅行 App 的工作，回国后的她开了一个卖饼干的淘宝店，利润不多，但干得舒心，几个月时间都四颗钻了。

在几分钟前，她刚挂掉妈妈打来的电话，说他们厂新来了个小伙子，人特别踏实。还没到谈婚论嫁的年纪，老妈却提早让她进入相亲的鬼圈子。

关于洛杉矶的那段记忆，已然当作是一场时差紊乱的梦，零星剩下的照片，也强迫自己相信都是后期合成的骗局。

那晚 Aaron 去找董蕾的时候，薛嘉丽也偷偷跟去了，结果因为开车的司机在夜路上超速，跟一辆对面来的运货车相撞，坐在副驾驶座上的薛嘉丽断了一条腿。Aaron 只能选择照顾她，董蕾从未感觉到这样的进退维谷，只能落寞退出。

回国前，她把 Aaron 给她的银行卡还了回去，说买了这张回国的机票，他们的交易就可以结束了，她在小屋的床头附了一张字条，上面写着，这段记忆，你记得也好，最好你忘掉。

伴着飞机的轰鸣声，一晃就是一年。

这一年里，她从一个被人民币抛弃的矮穷挫成长为了六折的白富美，骂过老天不公，也尝过努力的甜头。她再也没买过彩票，再也没有对旅行有半点念想。

其实在这些破烂事发生之前，Aaron 写过一条微博，但一直放在自己草稿箱里：

我从未对你说过‘我爱你’三个字，路那么难走，可你敢喜欢上我。我不会给你任何承诺，我只想让我做的，来匹配你这份喜欢，好让你觉得，跟我在一起，会比三千万彩票还赚。

后来，她接到一通电话，是前老板打来的，嘘寒问暖之余，问她还有没有意愿回去上班，她原本是想拒绝的，但老板说那个融资的股东极力邀请她，说想见她。

想起当初没订上那张彩票就是因为他，董蕾说什么也要见到这一切的罪魁祸首，来到他们约定的日料店包厢前，她用手扶着门沿，不敢开，低下头，眼睛立刻被地暖熏红了。

她闻到了久违的檀木香水味。

不完美求婚

所有人都不会料到，金牌求婚策划师童真会在她二十八岁的生日当天，向老板递上辞呈。

“追爱”求婚事务所是童真入行的第一个公司，在所有热恋的小情侣里，没人不知道这个公司，几个北京的80后共同创业，只做创意求婚，上天入地无所不用其极，直升机上洒干冰，老虎身上绑气球，惊吓了多少不知情的男男女女。

童真，就是这些鬼点子的始作俑者，也是“追爱”的绝对顶梁柱，所有人都说，她的脑袋一定跟常人不同，多长了神经中枢，她策划的求婚仪式，就没有被主角拒绝过。眼看工作已经排到下半年，却在这个节骨眼辞职，整个公司为此陷入低气压，但童真的老板太了解她，知道多说无益，只能狠心默许。

别以为做这份工作的童真是个每天沉浸在美好幸福中的女文青，实际上她是一座万年冰山，没人见过她笑或哭，哪怕看见那些哭成狗的准新人，她也没有半点表情，很多人都以为她是肉毒杆菌打多了导致脸僵，后来才知道原来不止脸僵，全身都很僵。省话一姐，口头禅是“哦”，头发越剪越短，从背后看就像个男人，有一个戴了八年的耳钉，喜欢穿宽松的上衣，紧腿裤，无论穿什么鞋子走路都润物细无声，每天默默地飘来再默默地飘走。

她把求婚当成工作，机械地掏空身体里所有奇思妙想支撑生活。就像很多都市白领，他们的梦想是变成明星，是环游世界，是买遍所有大牌包包，但最后都落俗地坐在办公室上班，是因为他们必须得向现实妥协，要赚钱养活自己。

童真辞职的原因，是因为曾经答应过自己，策划完第九十九次求婚，就暂时歇业，权当给自己放个假，也因为想把第一百次留在自己身上。你没听错，她有一个喜欢八年的人，为此还保有一颗明媚的少女心，不过她这颗少女心有点吓人，因为她想向男方求婚。

但对她这个纠结至死喜欢别人又不愿意说出来，总希望别人自己明白的处女座，简直就是妄想。

童真喜欢的那个人叫夏风，两人在大学学生会认识，夏风是个典型的白羊座，过分善良神经大条以及冲动易怒，与当时冷成一座冰雕的童真形成鲜明对比。夏风把她当哥们儿，总觉得她喜欢女人，于是在她面前毫无防备，天热了就当着她面脱衣服，冷了甚至敢钻她被窝。夏风学的是新闻，毕业进了门户网站做娱乐频道编辑，一做就是三年，虽然性子聒噪，但在工作上倒是一百个勤恳，客户和老大都对他赞不绝口，二十六岁时，靠着积攒的人脉自己出来创业，仅用了两年时间就把自己的宣传公司做得风生水起。

童真这场暗恋很没骨气，卑微到看着夏风每天把妹子挂嘴边，看着他热恋和失恋，永远像个局外人一样在身后陪着。她知道自己没机会，所以从不过分期待，偶尔有些念想，就好比第一百次求婚，她明白不可能，仅是给自己坚持了这么久的一个交代，脑袋热过劲，心就可以凉了。

他俩有个老规矩，就是每周三晚上会去五道口一家英国人开的餐吧，喝酒吃汉堡，顺便参加他们的 Quiz 问答游戏。童真属于军师型选手，英语特好，但从不显摆，每轮游戏开始后都默默把答案写在纸上，然后教夏风发音，让这个孩子王在几队人马中嘹亮地喊出正确答案。

“辞职了？”夏风趁着老外出题的空当问童真。

“嗯。”

“那来我公司吧。”

童真不语，只是笑笑。

“有啥好笑的！我们这也可以做策划，多适合你！”

“不想。”

“我觉得吧，你真心该找个人了，你看你脾气臭，话少，平时不想着恋爱，现在连工作也不做了，这么压抑下去，小心更年期提前啊，哦不，你从大学那会儿就更年期提前了。”夏风不忘神补刀。

“哦。”童真看着小黑板上一轮新的题目，漫不经心地在纸上写下答案，然后递给夏风，上面写着，“你这三年谈了十八次恋爱还不是单身，爱多必失。”

夏风瞬间脸就绿了。眼前这女的，以为是哑炮，点燃之后在你身边响得跟新店剪彩似的，惹不起啊。

同事里最会来事儿的莫珊珊非要给童真办一场欢送会，这个每天把公司当成秀场的北京女孩是唯一能跟童真说上话的，虽然势利，每天把“钱”字挂嘴边，但好在够直接，即便跟别的女同事口蜜腹剑，但面对童真，就少了那份女人天生的敌意。所以当童真说要辞职的时候，莫珊珊还真抹过眼泪，说又少了一个好姐妹，虽然不知道演戏成分占多少。

那晚的欢送会定在纯K。童真推开包厢的门，就看见穿着一条大露背长裙的莫珊珊站在台子上唱歌，见童真进来，便招呼她先跟大伙儿喝喝酒，童真往里面看了看，“大伙儿”真多，加上她俩，共六个人，还有俩人是不认识的。

可见童真或者说莫珊珊在公司的人缘有多差。

与其说是欢送会，不如说是莫珊珊的演唱会，整晚她从张惠妹唱到萧亚轩，“听海哭的声音”时真的哭了，“想要跟你表白”的时候肩带掉了。等到最后实在唱得没了气力，才乖乖地坐回沙发上，一看桌上的酒没动，就莫名起了火，招呼大家必须一人一瓶。轮到童真时，她含情脉脉地说，“童真，说真的，从我第一天来公司就特别喜欢你，中性风，多酷啊，大家都说你是千年冰山，我就告诉自己，泰坦尼克号都撞冰山呢，我朝阳门一姐就是有那胆子挑战高难度，非得撞上你试试，你看，这几年，我俩关系这么好！”童真愣在沙发上眉头微蹙，一言不发，莫珊珊又接话，“好了你别说了，我都懂！一瓶喝完啊！”说着碰了下童真的酒瓶，仰头喝了一口，皱眉大喊，“这酒也太冰了吧！”

她心里骂着娘，死要面子硬生生喝完了一整瓶。

放下酒瓶，看见童真一脸纯真地望着她，一口没动。

“你倒是喝啊。”

“不想喝，太凉。”

“……”

那晚最后是童真扛着醉得不省人事的莫珊珊在工体路上晃悠，路上的空车像约好一样集体拒载，两个人晃啊晃地竟然开始掏心掏肺。莫珊珊说她以前爱过一个男人，在准备谈婚论嫁的时候跟别的女人在一起了，男人给她的理由是因为老妈给他介绍的这个人是高官的女儿。莫珊珊边走边哭，喝醉之后全然变成了话剧演员，声音飘得跟唱歌似的，她说现在世界都反了，男人能跟你抢男人，剩下的那些没能耐的，还一个劲儿要求女人。所以咱女人不强势，养得起自己吗。莫珊珊抹了把眼泪，突然问童真，“你有喜欢的人吗？”

说实在的，没几个人敢问童真这个问题，记忆中除了夏风，就属莫珊珊了。听到这个问题时，夏风的脸首先出现在眼前，随即画了叉，但觉得别扭，又把叉擦掉，可能是被夜晚的风吹得不矜持了吧，她竟然从喉咙里硬生生憋出了一个“嗯”。

什么？！感觉扒出了一个惊天八卦，莫珊珊刚想细问，突然一阵反胃，哇啦，蹲在路边吐了。

吐完之后，她就断片儿了。

辞职后的童真突然多出了很多富余的时间，在北京四环外租了一个小复式，专门把次卧跟走廊打通，改成了书房，错落有致地放了几排木头书架，正中央是一个古典沙发，她买了一堆名字读起来都拗口的原版书，在里面一待就是一下午。

夏风工作不忙的时候，就来找她，童真在一边看书，他就在旁边唱偶像蔡依林的歌，然后故意找茬聊天，化不了这座冰山，索性就像一只狗一样倒在她身边睡过去。

可是这之后，夏风就突然消失了，发过去的微信不回，打电话占线，连到了周三的固定 Quiz，都见不到人。童真心里像被火烧，面上仍然保持一种事不关己的态度，随时警惕着手机，却麻痹自己让对方爱哪哪去。

终于接到夏风的电话是在一个星期后的周三，说约她吃饭，但是不去那个英国吧，而是改去许仙楼，突然一下这么高大上煞有介事的，让童真直觉有事发生。等她到了许仙楼，看见座位上头发被高高吹起，穿得无比正式的夏风，更肯定了。

童真一坐定，夏风就把脑袋凑过来，一脸傻笑地说，“麻烦你个事儿呗。”

“说。”

夏风嘿嘿地傻笑，“那个，你不是那么会搞求婚的事儿吗，帮我搞一个呗。”

“你朋友想结婚？”

“不是，”夏风凑到童真耳边，羞答答地说，“是我，帮我给一姑娘求。”

童真嘴角上翘笑出声，把夏风吓了一跳，没等他回过神，童真掷地有声地撂了两个字，“不行。”

“为什么？”

“没有为什么。”

“哎我说童真，我夏风认识你这么久，没求过你什么事儿吧。”夏风脸上的傻笑变成委屈，眉毛皱成一团。

童真觉得太阳穴像有小锤子在凿，心也跳得厉害，感觉多说一句就能被对方听出什么似的，她默默调试了心情，看向一边，问他，“哪认识的，什么情况？”

“微信摇上的，我跟你说，我真没碰上这样的事儿，跟那姑娘聊了几天之后，突然就想改邪归正金盆洗手了，她特别独立还有想法，不黏人，是那种能让我安心打拼自己事业的，但是你不知道，一说起情话来嗲得我哦，完全受不了。不过我就喜欢，可以说正中下怀，打了那么多年仗，第一次碰上我直接给敌人缴械投降的。我真的特喜欢她，想让她合法地睡在我身边。”

“哦。”这番土俗的表白过后，童真觉得天都快塌了。

“你别光‘哦’了，答应我好不好，我真的就求你这一次，看在我们这么多年的感情上，如果我想讨老婆了你都不帮我，那我就没别人指望了。”夏风开始软磨硬泡。

童真再不甘，也只能憋着，憋到鼻子开始泛酸。夏风见童真一直不看他，就伸手不停把她脑袋转过来，用一张委屈的脸对着她。童真觉得再被他这么晃下去，泪水就要出来了，她无可奈何，只能点头答应。

夏风在许仙楼里叫了起来，或许那时周围的食客以为是他求婚成功了。得意忘形之后，他说他的女朋友一会儿也要来，童真听罢想离开，但夏风说什么也不让她走，说一定要让女友见见自己最好的朋友。

等到那个女生到的时候，童真的世界彻底垮了，她看见穿着紧身套裙的莫珊珊拎着小包优雅地走进来，她也看见童真，露出了同样吃惊的表情，接下来是长达一分钟的面面相觑。

如同蓝光碟片被按下了暂停，四周空气被抽干，耳朵进不了声音，听着自己的心跳，童真觉得跟衙门口的击鼓鸣冤声如出一辙，沉闷的、委屈的、不堪的，想要告诉全世界，这个男人应该是我的。

一向高调的莫珊珊大呼原来男朋友是童真的好友，简直有缘，可童真全程保持一张没有表情的脸。夏风偶尔帮她夹菜碰她手肘，或者用脚踢她的脚，她都一副像失了灵魂、病恹恹的样子。

那是童真此生吃过的最尴尬的一次饭。她无论如何也不会想到，第一百次求婚那么快就用到了夏风身上。在自己勇敢表白前，亲手把喜欢的人送给好朋友，即便一百个不愿意，但抵不过一千个无可奈何。

童真策划的求婚仪式定在“追爱”的写字楼，夏风穿着降落伞衣从三十层的楼顶跳下，落在测量好的林荫道上，这是莫珊珊上班的必经之路，早前安排好的快闪演员也都埋伏其中，只要莫珊珊一出现，夏风就准点降落，音乐响起的同时，遥控飞机带着钻戒开进来。排练了一遍又一遍，童真控制着每个时间节点，万无一失。

求婚当天，所有人早早待命，童真在树丛里用对讲机操作一切。目标人物莫珊珊在街口出现时，童真呼叫夏风，可那边一直传来嘈杂的信号，眼看莫珊珊就要到达指定地点，夏风还没反应。工作人员互相使眼色陷入焦躁，此时，戴着安全帽的夏风缓缓露出半个脑袋。

只见他利索地跳了下来，看热闹的行人不约而同地仰起头尖叫，莫珊珊成功被吸引注意。降落伞在半空打开，露出了巨大的“Marry me”。莫珊珊跟着周遭的行人鼓起掌，还试图张望搜寻谁是这个幸福的女主角，等到降落伞上的男人离她越来越近时，她的身子突然僵住了，手里的包包也掉到地上。

当时在场的所有人，都以为莫珊珊一定是被感动了。

等到男人落了地，把护目镜取下时，意想不到的事情发生了，因为这个男人，根本不是夏风。童真来不及阻拦，那架带着戒指的遥控飞机从天而降，此时，夏风才从大厦里跑出来，大老远喊着，“你谁啊，干吗穿我的伞啊？！”

莫珊珊说不出话，满脸的尴尬，男人就这么死盯着她，盯到眼圈泛红，他抬眼看了看盘旋在自己头顶上的飞机，冷笑一声，刚想说什么，就被一拳而来的夏风打翻在地，伴着人群的惊呼，莫珊珊颤着身子捂着嘴哭了。

童真招呼同事善后，她在人群外看着这一切，僵硬的脸上看不出一点情绪。

第一百次求婚，以失败宣布告终。

那个捣乱的男人叫许潺，莫珊珊嘴里那个跟高官女儿在一起的前男友，他在夏风因为紧张去上厕所的间隙，代替夏风给了莫珊珊“惊喜”。原来，当年是莫珊珊跟高官的儿子跑了，把两年的感情当作垃圾丢弃的也是她。

当晚许潺给童真讲了很多他跟莫珊珊的过去，一个拜金势利的女人跟一个一根筋纪录片导演的爱恨纠葛，许潺一直都有固定国外项目合作，导演费没少赚，但他生性爱自由，对钱更是没概念，他以为遇见莫珊珊是恩赐，这个女孩直肠子，热情又漂亮，但没想到，热恋褪去还是步入俗套，她骨子里那种闻到钱味就忘记一切的病一览无余。他说莫珊珊是一个不会有真感情的人，她只会为了得到男人的钱用那一套假惺惺的独立逢场作戏。这两年，他一直盯着她，辗转在不同男人之间，一旦得到她想要的，就功成身退，而退出的标志，就是男方动了娶她的念头。

听到这里，童真连忙拨通了夏风的电话。

“喂，童真……”夏风的声音哽咽，明显在哭。

童真慌了，她挺直腰，问道，“你没事吧？”

对方一阵沉默，夏风好像说不下去了。

“夏风你在哪？”

“我晕，好刺激……”只听听筒里一阵哀号，“我在吃寿司啊，建国门那家，你要不要来？”

童真做了个深呼吸调节怒气值，“你为什么会在吃寿司？”

“因为珊珊想吃啊。”

“你们在一起？”

“对啊，不然呢？”

“你们为什么在一起？”

“准新人为什么不能在一起啊，童真你今天话很多哦。”

童真蒙了，一旁的许潺好像也听出了些端倪，把耳朵凑了过来。

“她答应你了？”童真问。

“对呀！”夏风直截了当地回答她，“珊珊都跟我说了，那个男人是她前男友，后来珊珊喜欢上别人就跟他说清楚了，人家觉得不甘心，就缠上了。童真我跟你说，我真是捡到宝了，哪个女人这么实诚啊，我觉得现代男女分手就该这样干脆利落，不喜欢就是不喜欢，拖延对谁都没好处。你若是碰到了那个男的，替我谢谢他啊！”

在一旁偷听的许潺脸都绿了，想抢下电话，被童真及时挂了。

“你干什么，让我跟他说啊，让他看看自己喝了杯多浓的绿茶！”

“不行。”童真的表情转冷。

“为什么？”

“他不会信的，我了解他。”童真若有所思地用手背撑住脸颊，拇指指节摸到耳钉，凉凉的。这枚耳钉是夏风大三实习时，用两个月的工资给她买的生日礼物，这些年从没取下过，如同一个臆想的约定，只要两个人还在一起，那它就必须一直存在。

毕竟这也是他送给自己的，唯一凭证了。

本以为这件事告一段落，后来是莫珊珊主动找童真，两个人约在三里屯吃下午茶。再次见到莫珊珊，童真心里还是泛起波澜，她倒是一点没变，像往常一样地自顾自地讲八卦聊男人。童真知道她不是什么好人，但没想过是真的坏，若标榜身为女性要独立确实值得赞赏，但用欺骗来换就是人格的问题，只是面对这个好友，实在又不忍心把她与那些女人混为一谈。

聊了很多无关紧要的人，莫珊珊突然问她，“听夏风说，你们大学就认识了啊。”

“……嗯。”童真迟疑了一下，全程没有看莫珊珊，低着头吃沙拉。

“他说你一直没谈过恋爱，但是对他每个恋爱对象挺关心的。”莫珊珊的语气有些奇怪。

“你想说什么。”

“别这么认真，就是聊聊，你们不是朋友嘛。”

“哦。”

“这个耳钉是夏风送的？”莫珊珊又转移话题，伸手在她耳朵上摸了摸，“哟，都生锈了，这么多年了，还戴着呐。”

“他跟你说的？”

“对啊，他还说你，”莫珊珊盯着她，眼神和语气都越来越奇怪，“不喜欢男人。”

童真腹诽，眼角余光都不想看到对方。

“哈哈，我当然是不信了。”莫珊珊笑起来，摆弄起自己精心烫过的卷发，然后一个字一个字地说，“因为我知道，你喜欢他。”

童真的叉子不小心掉在地上，她弯下腰去捡时，用力皱了一下眉，然后强装平静坐好，隔了几秒钟，冰冷地回道，“你想多了。”

“呵呵，亲爱的，大家都是女人，有些东西不用想，不用看，闻都闻得出来，上次在许仙楼，我就闻到了……”莫珊珊煞有介事地闻了一下，“一股子醋味。”

童真沉默。

“许潺是你找来的吧。”莫珊珊的语气又变了。童真抬眼看她，想说什么，却被莫珊珊打断，“夏风让你帮他这忙真是委屈你了，但你以为把许潺找来就可以破坏这次求婚吗？我告诉你，不可能的，跟夏风这才认识几天，我想要的东西还没到手，就那么容易被你离间了，我傻啊。我莫珊珊没什么拯救世界的本领，唯一的本事就是，拼了命也会把属于我的东西抓牢了。”

“你不怕我告诉他？”

“怕啊！”莫珊珊嘟起嘴，装起弱者来，“但是有人应该也很怕，给夏风知道她喜欢他吧。”

童真惊了，一场仗还没打，就先被敌人找准了自己的命门，不费吹灰之力就将自己摧毁得溃不成军，童真这边的军队，有二十岁的自己、十五岁的自己，和二十八岁的自己，她们手牵着，大喊着，夏风我喜欢你。

见过莫珊珊之后，童真独自在三里屯酒吧街闲逛，门口有很多揽客的人，她披着一件单薄的黑色衬衣，落寞地一路摇着头，直到在一家叫作“二楼”的酒吧前停下，她听见里面在放温岚的《夏天的风》。想起有一年跟夏风去武夷山的时候，两个人爬到最高点，累得已经不成样子，夏风突然把耳机放进她左耳，就是这首歌，在云海和落日里，他说，今后听到这首歌，就要想起我。

童真喝完第四杯酒趴在吧台上，意识已经有些模糊，想着跟夏风相处的情景，眼泪水不自觉从眼角掉到鼻梁上，她连忙用手抹掉，怕被别人看见，谁知越抹越多，多到忍不住，只能埋下头，张着嘴哭，尽量不发出声音。

后来她又喝了很多酒，意识最后停留在一个男人坐到自己身边，然后“哔”一声就断电了。

一早清醒，发现自己躺在一张木制的双人床上，天花板刷满了宇宙星空图案，窗户边上的白墙，挂着一个精致的白色鹿头，来不及继续打量，一坨硕大的毛团突然掉到她肚子上，吓得她滚到床边。

是一只养成水桶一样的短耳猫，脖子上挂着一个大铃铛。

许潺听到屋里的声音进来，把做好的早餐放在桌上，然后抱起那只叫“罐头”的猫说，“昨晚见你醉得都不省人事了，没经过你同意把你带回我家，不好意思。”说着拉开凳子，示意她吃早餐。盘里是煎蛋、火腿三明治和已经切好的水果，如此诚意满满的早餐，让童真呆愣着，脑里的词汇更加匮乏。

“今后不要再为不值得的男人喝醉了。”

童真抬起头，一脸“你怎么知道”的表情。

“哦，昨晚扛着你回来，一路上你都在喊夏风的名字，不是有意偷听的。”许潺一脸正气，粗眉随着语调一上一下，有些喜感，“所以是帮喜欢的人策划了一场求婚？嗯，感动中国啊。”

童真无奈地叹气，想起莫珊珊，便对他说，“昨天莫珊珊来找我了。”

“找你做什么？”

“她以为你是我找来故意破坏夏风求婚的。”

“然后向你放了狠话？”

“嗯。”

许潺笑着把“罐头”抱起来，亲了亲它的鼻子。走出卧室之前，侧过身对童真说，“不如我们合作吧。”

许潺其实已经不止一次破坏过莫珊珊的恋情，但均敌不过她那娇滴滴的三寸不烂之舌，哪怕把证据甩在男方身上，莫珊珊都能化腐朽为神奇，变成美好的误会。

童真那天默许跟许潺结盟共同阻击敌人，她不管能不能一举歼灭莫珊珊，只想夏风不被伤害，安然无恙地回到自己身边。而这场拆散情侣大战，首要任务就是潜入敌军内部，这只能靠童真，许潺的作用则是在后方发挥纪录片导演的特长——偷拍。

当童真又一次出现在三人饭局上，莫珊珊的脸都快要垮到胸上去了。

这次童真就学乖了，一改往日冰山性格，尽量一句话扩充成三句，即便控制不住要“哦”，那也得由四声转变成二声，但是聪明如莫珊珊，懂得见招拆招，只要看他们俩聊起感情，她就立刻撒娇转向别的话题，屡试不爽，第一次作战，宣告失败。

第二次作战，许潺说要声东击西，攻其不备，尽量趁夏风和莫珊珊不在一起的时候行动，童真负责给夏风洗脑，许潺则跟着莫珊珊，争取人赃并获。为此，童真主动请缨，去夏风的公司做策划，还通过跟“追爱”老板的私交，把许潺介绍给公司当摄像师。

在公司看到许潺之后，莫珊珊恨不得当即跟老板提辞职，可惜手上还有几个大客户，又舍不得丢，只能硬着头皮跟他做同事，心想反正只要老娘藏得深，就甭想见缝插针。

转变如此之大的童真，让夏风没少受惊吓。出于信任，童真刚入职就给了她一部电影剧本，里面也有一个喜欢撒谎骗人的女主角，童真借此脚本特意指桑骂槐地暗示过夏风，女人最懂伪装，三十岁的男人在刀锋上行走，走错一步就会遗憾终生。但夏风全然没抓到重点，他说，你看女主角骗人最后不是还骗上一段真爱，这一个愿打，一个愿挨，能在一起全凭本事。

第二战两个人再次碰壁，童真有些失了信心，理智告诉她不能再这么幼稚下去，可每每想到夏风正被莫珊珊玩弄，就正义凛然地恨不得拯救整个银河系被骗的男人。

后来，许潺的家成了他们的作战部署地，许潺担任军师兼全职保姆，原因很简单，因为他的洁癖比童真还严重，家里干净得都可以在厕所打地铺。别看是个固执的纪录片导演，但许潺身上有无数萌点，每每童真恍神之余，他就能把冰箱里简单到不行的食材做出每顿都不重样的大餐，关键还很好吃。童真是万年冰山谁都知道，但唯独许潺能在这么短时间的相处里逗乐她，他的秘诀就是——跳腹肌撕裂操，每晚八点，整整一小时，边跳边发出怪叫，他在瑜伽垫上呈大字形边下腰边给童真问好时，童真都会背过身，身子抖个不停。许潺跟“罐头”的交流方式，跟《爸爸去哪儿 2》里的“姐姐”Grace 似的，“罐头”一不听话，他就“拜托拜托”。一般的女人若是遇上他也是分分钟想嫁了吧，管他是不是爱自由爱拍片呢，能温暖这寂寥生活就好。

事情变得好玩起来是一个立秋的晚上，童真接到许潺电话，说有发现。莫珊珊在公司时就鬼鬼祟祟地出去接了几通电话，没到下班时间就提前走了，许潺一路跟踪，发现她跟一个一身纪梵希的潮男在蓝色港湾的日料店约会，一路堵车的童真赶来时，他们恰好从店里出来。许潺一直开着相机偷拍，童真酷酷地站在他身边，打量那个潮男，有点眼熟。突然，许潺把童真拉到墙边，因为他看见潮男在莫珊珊脸上亲了一下，甜蜜完的两人牵起手，朝他们走了过来。

情急之下，许潺背过身，捧起童真的脸，拇指放在她的嘴唇上，亲了下去。莫珊珊和潮男从他们身后走过，许潺松开嘴，只见童真瞪着眼睛呆若木鸡，打了一个响指，对方才回过神。他逗趣地问，“什么感觉？”童真脸都红了，“你不会没被人亲过吧？”许潺随口一句话让童真立刻冷了脸，他尴尬地拍了拍相机，说，“一切搞定，等着夏风来好好吻你吧。”

按计划直接把这些照片快递给夏风，然后童真在夏风动摇时煽风点火，必要的话承认这些照片是自己拍的也没问题。总之，让莫珊珊狐狸尾巴露出来，不欢而散就大功告成。

寄完快递的第二天，许潺在公司剪片子，QQ 提示消息，点开是莫珊珊发来的，“有时间吗？去楼下星巴克坐坐。”

莫珊珊今天一身简洁的 OL 装扮，蕾丝边的白衬衣，皮质的包臀裙，气质如常，不过终于面对面坐在一起时，许潺才看见莫珊珊的眼角多出了纹路，跟三年前认识的她，终究是不一样了，哪怕再精致的妆容，也掩盖不了时间在她身上走过的痕迹，这个他爱过然后终于放弃的女孩，也该收起满身的自负，学着接受残酷了。

快递进门叫了夏风的名字。童真坐直身子，心里传来一丝悸动，他现在应该在拆快递信封吧，现在应该看到照片了吧，该什么时机出现，告诉他一切呢。童真冷冰冰的脸越来越烫，这座压抑许久的火冰山，似乎也蓄势待发了。

莫珊珊喝了一口美式，姿态优雅地坐在高椅上。

“你还是这么爱喝黑咖啡啊。”许潺若无其事地晃着手里的香草星冰乐。

莫珊珊笑了笑，说，“实话跟你说吧，其实我很讨厌喝黑咖啡，太苦，但是我这些年仍然雷打不动每天保持一杯，你知道为什么吗？”

许潺没有回答。

“因为听说黑咖啡可以消肿，不管是真是假，但为了人前漂亮，我不在乎吃多少苦。”

“你为了漂亮为了钱什么做不出来？”许潺反唇相讥。

“是啊，如果我卡里一直都只有一千块钱，我每天会睡得很好，但如果变成一万，离我想买的包就差一两千块，我会不甘心。既然上天已经让我看到这样的世界，那我无论用什么办法也要配得上这样的生活，这就是我，你懂这样的我吗？”

许潺大口喝着星冰乐，不再说话了。

已经半个小时过去，按许潺说的，半个小时以后去找夏风，彻底让他从梦里醒来。童真调整呼吸，正准备起身，夏风发来了微信，他说，你来我办公室一下。

许潺从星巴克冲出去，边跑边挥手打车，他不停给童真打电话，但无人接听。那头的童真，把手机忘在桌上，已经进了夏风的办公室。

拍过那么多纪录片，一个人享受自由那么多年，他觉得自己从没犯过错，也没想过“后悔”两个字怎么写，但此刻，他心里全是自责。北京入秋后的风很凉，天灰蒙蒙的，好像随时会下雨，莫珊珊方才冰冷的语气袭来，有种入冬的错觉。

“那晚那个穿纪梵希的，是夏风他们公司新剧里的小演员，夏风的朋友。”莫珊珊说。

“是我故意跟他演给你们看的。”

“寄给夏风的照片已经被我调包了。”

“许潺，你最大的优点是别人够不着的大智若愚，最大的缺点是自以为是的聪明，而我的优点，就是看透了你的缺点。”

办公室里的夏风脸色确实不太好。

童真仍然保持以往的酷劲儿伺机而动。

“照片是你寄的？”夏风一语道破。

“你怎么知道？”

“这……是真的吗？”夏风脸色越来越难看。

“嗯。”

“为什么从没听你说过。”

“因为我知道你不会相信。”

“你这样让我很难堪啊。”夏风明显有些焦躁了，“这个节骨眼上你给我这么一封信，要我怎么办。”

“信？”许潺没说过他还写了信啊，童真来到夏风办公桌前，看见照片上全是夏风，她疯了似的抢过旁边的信，一目十行大致扫完，那些暗恋的心情，全部跃然纸上。

“你误会了。”童真一把团起桌上的照片，转身想走。

“我要跟珊珊结婚了。”夏风说。

“哦。”童真关上了办公室的门。

此时，许潺也刚好冲进“追爱”的大门，看见童真冷若冰霜的脸，正想再向前一步，只见她扬了扬手里的照片和信。

许潺从星巴克跑出去的时候听到莫珊珊说的最后一句话，“是啊，我爱钱爱得不得了，但你们这些自恃清高的男人，却只记得我爱钱，谁说每个人的兴趣爱好那一栏，只能填一个呢。你根本不懂我，因为我这次来真的了，因为我，爱上夏风了。”

北京一个季度都舍不得下的雨，在今天全部倒了出来。

童真和许潺一前一后走在写字楼下，飘来的雨把裤子和鞋全打湿了。走到屋檐的尽头，童真见外面都是雨，停了下来，许潺来到她身边，见她还是一脸失魂落魄的样子，明明难过，还硬撑着，丧尸都比她表情丰富。许潺受够了这种自虐的发泄方式，拽住她的手，直接把她拖进了雨里。

大雨很快淋湿了两人，雨点打在身上都痛。

“不就是雨吗，淋不死人，你想躲他一辈子吗？！”许潺大吼。

童真呆滞地看着前方，五官表情全部融进雨里，忍无可忍的许潺扶住她的肩膀来回摇晃，半晌，她小声说，“他要结婚了。”

“你说什么？”

“我说他要结婚了，我们失败了，失败了！”童真吼了出来。

“难过哦？”许潺反呛她，“你喜欢夏风那么多年，我都替你憋屈，既然难过，那就哭出来啊，用所有脏话骂他，骂到你爽为止啊，干吗还是这样一副要死不活的样子，你以为装成这样就不会受伤了吗？疼是你自己疼，没人会替你分担！”

“我都懂，哭完骂完，是不是我就得放下了，可我没有想好要如何放下，我不想离开他！”童真吼得更大声。

“你不会离开，因为他，从没跟你走过！”许潺也吼，“一个人对你爱不爱，在不在意，你都能感觉到，你比谁都清楚这件事，他没有给你承诺，没有像你一样坚持，他连个吻都不会给你，他现在要跟别的女人结婚了，你还在幻想什么？不要把你们这么多年的感情当成宝，对一个不爱你的人来说，就是废品。你童真，不过是陪他走了这一程，换作任何人，也可以帮他完成！”

童真突然张开嘴，哭出了声音。

是啊，谁喜欢你，你能感觉得到，你喜欢谁，他对你爱不爱，在不在意，你也能感觉到。有时候，聪明如你，但傻就傻在习惯欺骗自己，承诺了不该给的承诺，坚持了没必要的坚持。

许潺抱住已经哭得抽搐的童真，鼻子也传来一阵酸楚，他觉得好累，闭上眼，让眼泪跟雨水混淆在一起。

大道理很动听，时间会带走一切，但需要很长时间消化，人生最难的，不是拥有，而是放下。

一场宿醉之后，童真给夏风发了辞职邮件，几乎全部的时间都待在自己的书房里闷头看书，许潺隔三岔五会抱着“罐头”来看她，给她打包一些新研究的菜。当然童真还是如以往那般高冷，但几乎每次都能被许潺不经意的玩笑逗乐，当他看见童真书架上那本跟都教授同款的《爱德华的奇妙之旅》，又环顾一下这满墙的书架，还有坐在中央复古沙发上静默的童真，打了一个非常认真的寒战，弱弱地问道，你不会也是从星星来的吧。童真面无表情，此处安静五秒钟，旁边胖成一团烂肉的“罐头”突然打了个喷嚏，童真就笑了起来。

两人同一只猫的互动，像电影里的蒙太奇一样。错落交织的片段组成的永恒里，有人消失，有人出现；有人失去错的人，有人遇见对的人。

后来是“罐头”丢了，童真和许潺急得到处找，不过是来童真家的路上抱着手酸，放地上抽了根烟的工夫，那么一大坨肉就不见了。

童真还记得当初在许潺的抽屉里偶然看见莫珊珊抱着“罐头”的照片，知道“罐头”是他们养的，对许潺来说它应该是那段感情唯一留下的美好吧。童真蹙眉，心里想一定要帮他找到，走到“罐头”丢的那条街上时，电话响了。

许潺埋头坐在公园长椅上，听着不远处的狗叫声发呆，任凭手上的烟点着，直到大半截烟灰受不住力，从烟蒂上掉落，正巧落在进入视线的一双红色马丁靴上。他抬起头，莫珊珊正抱着“罐头”。

莫珊珊在他身边坐下，说，“要不是它看到我叫了一声，我真以为是路边的一袋水泥，胖得我有点招架不住啊。”

许潺笑笑，弯腰把半截烟蒂杵在地上，说，“女孩儿嘛，得富养。”

“呵呵，好女孩儿才值得富养。”“罐头”用指甲刮着椅背，莫珊珊凑近它说，“你说是不是‘罐头’？如果你是个不听话的坏女孩儿，就会吃不饱穿不暖，被别人笑，没人肯正眼瞧你，什么都要靠自己。”

许潺没有讲话。

莫珊珊继续说，“其实坏女孩儿真的挺可怜的，不偷不抢，各凭本事，得来了好女孩儿没有的东西，就被说下贱，不上道。但那些好女孩吧，其实什么也没做，照样能享受同样的东西，你说这是凭什么，天生做不了那个好的，至少也要做坏的里面那个最精致的。”

“你开心就好。”许潺冒出一网络流行语。

莫珊珊转头看他。

“我说，坏女孩儿自己开心就好，以前的我一直想让她不开心，后来才知道，无论她开心与否，都跟我无关，我还是一个只能疼‘罐头’，豢养单细胞女孩儿的专业户。”

莫珊珊会心一笑，两人又是许久的沉默，半个钟头过去，她起身把手插在风衣口袋里，转过四十五度脸对着许潺说，“坏女孩儿下周三结婚，不知道这次有没有人玩花样，当然，如果有人玩累了，可以带着红包来，别包太少，不然等他结婚的时候，坏女孩儿塞日元。”

夏风和莫珊珊的婚礼办在北京昌平区的一个城堡酒店，门口十几辆宾利车压场，出席的宾客都穿着华服，原来小时代里那群人在生活中是真实存在的，不是一个画风的童真穿着一身简单的格子大衣，面无表情地把礼金交给伴娘，跟随接待到了自己位子上。

找“罐头”那天，夏风打来电话先是自顾自地回忆起大学生活，然后非常没头脑地邀请她参加自己的婚礼，丢出一句“如果连你都没来参加我的婚礼，我会终身遗憾的”作为结语。呵呵，邀请暗恋自己八年的人参加婚礼，这种傻缺事也只有夏风做得出来。“哦”，这是童真听完对方慷慨陈词之后，唯一的回应。

同是傻缺的默契。

童真以为这天真的去了会很难过，但到了现场，看到电子屏幕上夏风和莫珊珊的照片，反而很平静，那种感觉就像是失忆的病人，明明脑袋里装着重要的线索，却被什么东西阻拦着，召唤不出来。

童真一只手撑着脸颊，拇指摸着耳垂出神，背景音乐突然响起来，惊得碰倒了手边的酒杯，把半杯红酒洒在了旁座的凳子上。正想拿纸去擦，许潺一屁股坐了上去。

“没想到你也来了，所以这俩位子是前男友和备胎女友专座吗？”许潺今天穿了一身白西装。

童真语塞，面露尴尬。

“这家伙，挺意外啊。”许潺把头附到童真耳边，小声嘀咕，“你不会是来砸场子的吧。”

童真认真地摇摇头，她很想笑。

场灯及时暗了下来，城堡里亮起烛光，莫珊珊和夏风同时出现在两束追光下，没有长辈陪同，两人兀自走向对方，走到靠近宾客的舞台上时，灯光才稍微明亮起来。莫珊珊的婚纱倒是中规中矩，反倒是夏风的一身骑士装扮掀起了今天的小高潮，夏风艰难地固定了一下头盔，对莫珊珊说了一长串什么做她一辈子的骑士保护她之类的告白。轮到莫珊珊讲话时，她表情突然冷了下来，捂住耳麦大放厥词，“大家别被他骗了，他就是蔡依林一铁杆脑残粉，人说了，要在婚礼上穿成这样致敬 Jolin，可惜啊，我不是她的淋淋，我顶多算一零零，零文化，零资本。但是夏风你听好了，我知道我莫珊珊这辈子没有当公主的命，只是个满腹心机想上位的丫鬟，我是一路踩着尊严爬上来的，但我今天把话撂这里了，老娘爬累了，准备把最后一面小红旗儿插你这了，我要让所有人知道，你是我的终点，我用了所有运气去赌，最后赌到你，我认了，我满足了。”

夏风的表情由天晴到晴转多云到暴雨，哭得一把鼻涕眼泪，台下掌声和欢呼声已经混为一团，许潺表情复杂地愣在座位上，用余光瞧了一下童真，她仍然僵硬，只是眼睛红了。

童真从前不懂，原来爱情真的是讲究适配的，风筝与风，鲸鱼与海，充电线与手机，一个奇葩和另一个奇葩。

奇葩的新人仪式过后，场灯一亮，蹦出两个 DJ 现场打碟，角落里也不知从哪里冒出来几个调酒师，现场瞬间变成了热闹的聚会。夏风牵着莫珊珊一桌接着一桌敬酒，到童真这桌时，明显已经喝多了，他揽着童真的肩膀，说了一堆胡话，莫珊珊很礼貌地跟许潺碰了杯，她说，“谢谢你为我做过那么多，好的坏的，不然我真不知道我这么可恶。”许潺尴尬地笑了笑，仰头喝完了整整半杯葡萄酒，嘴角溢出的酒把白色的衣襟洇出了痕迹。

敬完酒，两位新人正准备走，夏风看了一眼童真，脑袋一热又折回来，他问，“那枚耳钉你取下来了？”

童真下意识地摸摸自己光秃秃的耳垂。

那场雨之后，她就把耳钉锁进了抽屉，逼自己放下最大的好处，就是不再浪费力气去抗争，不去对不属于自己的抱有期待。时间既是刽子手也是疗愈师，事情处处是转机，过去的挣扎都是白费气力。

夏风说着胡话，“我真以为你喜欢女生的，我……”

“会不会说话啊。”许潺及时站到夏风面前，夏风还“我啊我”地想继续往下说，许潺机灵地全堵了回去，身边的宾客被逗得乐呵，童真也忍俊不禁。

一看冰山融了雪，许潺就更加兴奋了，把童真拽过来，当着所有宾客和新人的面说，“她是喜欢女生，我就是那个女生。虽然童真这比北极还冷的性格特招人讨厌，但我吧，在这压抑气氛的长期压迫下，我身体里的暖男属性也暴涨，勉强也算是不幸中的万幸。当然，也感谢二位新人脑子好外加够爱对方，被我俩结盟这么拆都没拆散，还把各自搭进去了，但搭得心甘情愿啊。”

童真尴尬地想挣脱许潺，但被他拽得死死的，只好把视线看向一边。

许潺来劲了，把童真扯到夏风和莧珊珊身边说，“真是恨不得下一秒就去扯证儿啊，你说是不是？”说着用手肘顶了一下童真的后背。

不知道为什么，四周的宾客笑得越来越大声。

童真咬着嘴唇点点头，然后捂住嘴，身子开始抖。

许潺眼梢斜吊，叉着腰故作姿态地笑，“害羞，害羞！”四面的宾客笑得更夸张，童真一个没忍住，也笑出了声。

后来许潺才知道，让这座千年冰山融化的不是他这枚等离子大太阳，不是那段媲美奥斯卡颁奖典礼的获奖感言，而是他屁股上两坨像是忘记贴大姨妈巾一样的红酒印。

感谢这两枚红酒印。

那天童真和许潺笑着从城堡里出来之后，竟相对无言，坐在出租车上也互相看着窗外，直到开到朝阳路上的时候，许潺才搭话，说刚刚不好意思，全怪那小两口太得意，别误会。童真把视线放低，弱弱地说，没误会。话有歧义，让这个见过无数市面的大导演也羞红了脸，他一脸坏笑地揉揉头发，说今天值得庆祝，不如去他家吃饭吧，做新菜给她吃。

然后，童真就一直在他家吃饭了。

许潺切菜的时候，习惯歪着嘴；和面的时候，帮面粉配音发出“啊啊”的叫声；炒菜的时候，背影融在一团团烧起来的火里，像超人；吃饭的时候，总会先把今天的主菜夹给童真，然后再夹一点丢给“罐头”。这些细节，都是童真捕捉到的，不知道从什么时候开始，她的眼里，许潺已经不是那个大大咧咧的纪录片导演了，而是一个充满男性荷尔蒙的精致男人。电影里说，所谓深情挚爱，就是你中有我，我中有你，原来，一个人吃饭没有两个人吃饭开心。

童真是真的开心。

没有意外，也没有高潮，如果要说铺垫，就是想到许潺的时候，就接到他打来的电话；难过的时候，就能因为他而开心；还有在每当回忆那段难过的日子，就庆幸还好遇见了他。

许潺说，只要每天能把童真逗笑，就觉得天塌下来都难不倒他了，后来，童真由不会笑变成了动不动傻笑，以至于当她第一次跟许潺亲热的时候，竟然笑场。许潺特别贱地举起摄像机威胁她，若是再破坏情绪，他就要做好纪录片导演的本职工作，全程记录这座冰山酷女如何在床上变成骚情小野猫的。

当然，许潺没拍成，因为童真这女人，除了把一张刘胡兰英勇就义的脸坦白地摊在许潺面前，就再也没有任何表情以及情绪，在床上完全就是一尊雕像，许潺想给自己立块碑。

转眼到了第二年秋天，童真头发变长，终于像个正儿八经的女人，许潺去非洲拍片，家里只剩她和“罐头”。一年没有工作的童真，几乎已经完全丧失了社会属性，快退化成跟“罐头”一样的宠物。

翻开自己的旧电脑，辉煌的求婚案例都成了曾经，想想当时为了夏风留下的第一百次求婚，如今也随着时间大步迈过而显得不痛不痒。

在她决定重回“追爱”求婚事务所的第二天，“罐头”又丢了。

家门关得好好的，结果离奇失踪。童真正准备出去找，许潺来了微信，说他在回来的路上，于是两个人又一次狼狈地满城找猫。时间临近中午时，莫珊珊来了电话，说“罐头”现在在她那里。

这“罐头”还真爱千里寻亲啊，童真颓丧地叹了口气，但转念又想，觉得哪里不对劲。

给许潺发了信息之后，童真独自去找莫珊珊。

到了约定的三里屯太古里，没见到莫珊珊，倒是路人有点出奇的多，好像在 SOHO 的上班族集体约好了似的过来伐开心买包包，就连平时卖气球的大叔也多了几个。童真像侦探一样，用眼角余光打量四周的人群，直到被苹果店门口卖黄牛的大叔纠缠问她买不买 6Plus，才断了思绪，恍然这不过还是一个非常三里屯的三里屯。又等了好一会儿，打给莫珊珊，手机刚响一声，对方就接听了，不过显然是不小心按了接听键，只听莫珊珊一直在跟别人说话，那一口京腔大吼着，你快点儿，群众演员要加钱了，没见过求婚都这么磨叽的！

童真忍不住偷笑，过去光在三里屯求婚的案例，她就已经策划超过二十次了。

下一步应该是中央的喷泉开始喷水，果不其然，水喷了起来，然后是音乐，嗯，音乐也响了起来，最后身边的路人，卖气球的大爷，还有黄牛大叔全部朝童真围了过来，开始了一段非常老套的快闪。

童真来不及点评，就被舞者簇拥着向前，围观的路人也越来越多，音乐的最高潮，气球都飞了起来，童真的视线也随之上升，再落回地面的时候，看到两旁人群散去后，许潺穿着一身白西装，背对着她，屁股上印着两瓣红色桃心。

许潺屁股什么时候变这么翘了。好像关注错了重点，童真认真地害羞起来，被推搡着慢慢靠近他。想想许潺也真是大胆，敢在金牌求婚策划师面前班门弄斧，但越靠近的时候，越觉得有些异样，果不其然，白西装一转身，是夏风。

童真瞬间就僵硬了。

夏风单膝下跪，支支吾吾半天不说话，直到围观的群众开始起哄，他才深吸口气，像讲故事一样，说了一段很冗长的告白。

“抱歉骗了你这么久。”

“但我要说，这是我能给你的最大惊吓……和惊喜了。”

欧美的悬疑电影里，到末尾都会出现一个让观众惊叹的反转，一时间把观众的汗毛竖起，肾上腺素激生，成为评分多一星的理由。

但这个反转转得似乎有点太夸张。

莫姗姗也出现了，一脸局外人似的看着他们，满脸的解脱。童真嘴唇白白地翕动着，发不出声音。这一年来是经历了什么呢，一个喜欢了八年的人，一个一直默默当成朋友的人，有一天说他要跟自己的朋友结婚了，然后在婚礼现场跟新娘子哭得妈都不认得，在自己最需要的时候连拥抱都舍不得给，而在已经不需要拥抱的时候，走到你面前，说，现在还来得及抱你吗。

夏风把戒指拿出来。

“收起来，别玩了。”童真声音格外艰涩。

“童真，你回答我。”夏风一脸诚恳。

好多年前，童真幻想过这样的场景，每次做完一单策划，看着求婚成功的男男女女抱在一起，也都会想起这个场景，白西装，婚戒，观众，还有自己怦怦直跳的心。

但她幡然醒悟，场景如是，只是早已不在乎那个男主角是不是夏风了。

“对不起。”童真身子本能地往后一退，刚好撞到身后的人，一回头，是许潺。

莫珊珊上前挽住夏风的胳膊，两人默契地相视一笑。

“好怕你刚刚就点头了。”许潺摸着下巴悻悻地说。

童真不讲话。

“不是故意要试探你的，我是对自己没有信心。”

童真不讲话。第一次遇见许潺的情景快速在脑里闪回。

“够不够惊喜，大策划师。”

他的卧室，他墙上的鹿，他的“罐头”，他做的菜，他跳健身操的样子，他说一起合作拆散夏风他们时候的表情，他把自己拖到雨里对她说的那些话。

曾经答应过自己，策划完第九十九次求婚，就暂时歇业，因为想把第一百次留在自己身上，也终于有了那第一百次不完美求婚，才让眼前出现一个完美的男人。

童真突然转身抢过夏风手里的戒指，单膝跪在许潺面前，她仰起头，碎刘海撇向一边，说，“嗯，我不会讲话，拍过那么多纪录片，今后就拍我一个人吧。我爱你，你随意。”

“那请你下次多给我一些情绪，在床上不要像一个死人。”许潺笑着说，“还有，这戒指是假的，玻璃做的，够不够随意？”

没等童真有反应，许潺就把她拽到怀里，指了指后面，只见“罐头”艰难地挪着身子从人群里挤出来，脖子上挂的铃铛随着身子的摇摆响个不停。许潺弯下腰，把它的铃铛打开，里面藏着一枚戒指。

众人这才约好齐声欢呼。

看着童真戴上那枚戒指后，莫珊珊小声嘀咕道，“这好像是许潺当时向我求婚用的那枚。”

夏风拍了下莫珊珊的屁股，打趣地说，“后悔了吗？”

“悔呀，该先把戒指收了再跟别人跑。”

“……”

“哈哈，算啦，他的戒指，只能给好女孩儿。”

婚后的童真成了“追爱”的挂名顾问，不坐班，真正的工作是陪许潺拍遍全世界，保持高冷与单细胞，直面许潺更多的阳光。莫珊珊辞职当了家庭主妇，夏风则准备把公司转型做影视投资，继续努力赚钱，因为他不仅要养一个属相属钱的老婆，还要养一个从出生就对 LV 商标情有独钟的金牛座宝宝。

童真说直到现在，她都不知道什么叫真爱，像个女战士一样喜欢一个人八年，然后稀里糊涂地嫁给了另一个男人。以前喜欢夏风的时候，她很安静，现在跟许潺在一起，很平静，不再浮躁，不再纠结，会在意对方的小动作和小表情。爱情不就像诗人说的吗，爱一个人，他身上就会发光，后来发现，自己也能发光。

不知道什么叫失恋，经历的时候自己就知道了，不知道什么叫远方，到达的时候自己就知道了，不知道什么叫真爱，当真爱来了，就会出现晴天，望着眼前的这个人，想一直跟他在一起。

那些错过的，就像史铁生说过的：“我什么也没忘，但有些事只适合收藏。”

我们都过了

耳听爱情的年纪

有一家大排档，老板叫朱哥，糙老爷们儿一个，皮肤黝黑，经常捏着一把蒲扇在烟雾中晃悠，青椒猪肝面是他的招牌，还有各式盖浇饭、山东煎饼、炭烤生蚝，应有尽有，用食物慰藉这个城市的单身贵族们，附近大厦的上班族给朱哥的店起了个很应景的名字：单身食堂。

朱哥手上有很多故事，多数是食客讲的，他们就着啤酒，大口吃着肉，见朱哥老实，就什么秘密都告诉他。缺爱的男男女女，骂老板的小职员，刚吵过架的小情侣，比一台晚会还生动。

这其中有个叫方岚的女孩儿，在背后大厦的广告公司上班，恋爱史干净，距离上一段爱情已经空窗两年多，分手初期痛得龇牙咧嘴的，现在已经对“前任”这个词免疫，人始终要向前看，她在等待最好的爱情。

陈土木，人如其名，戴着黑框眼镜，平头工科男，永远是一身宽大的素色衬衫和裤子。大学时隔壁专业的女汉子喜欢他，暗示的方法千奇百怪，但就抵不过他那木讷脑子，不了了之。所以直到现在，他都没有完整谈一场恋爱，工作又是网站的夜班编辑，过着美国时间，只有电脑咖啡做伴，别说女汉子，连个汉子都没有。

方岚的公司在26层，陈土木在13层，其实他们早就“认识”了。那会儿特别流行一个聊天App，不像别的聊天软件那么明目张胆，而是比较含蓄地让两个不知道对方长什么样的人在聊天中不断因为被对方某个点吸引，点赞到一定数量，才可以解锁照片。对于这个看脸的社会来说，这不失为对都会男女一项重大的科研挑战。

方岚吸溜着猪肝面，跟朱哥展示她跟陈土木的聊天记录，从生活聊到电影剧情，偶尔分享一些实用鸡汤，也算投机。朱哥当时就纳闷，因为昨晚半夜，陈土木也跟他分享过类似的内容，说最近有一个女孩子，挺聊得来，朱哥呛他，看上了就追啊，陈土木摇头晃脑，比姑娘还扭捏。

后来是他们聊到推荐的馆子，两个人不约而同传了一张朱哥的单身食堂，知道他们在一栋大厦上班，于是在 App 剩下最后一个赞就将照片解锁前，约了见面。陈土木说，他会穿一件蓝色的衣服。

结果那天出现在单身食堂的，是穿着一身蓝西装的周宇。周宇是陈土木的领导，难得三十多岁还能保持好身材和超凡的审美，每天穿着讲究，香水好闻。年轻时写过很多在媒体圈大热的稿子，艺人和同行都认他。能力跟收获对等，在这座寸土寸金的海滨城市坐拥两套房子，和一辆保时捷座驾。总之，虽然没到霸道总裁的级别，但也成为众多女生心目中未来老公的标准。

方岚想着不用穿西装这么正式吧，给周宇点了一碗猪肝面，然后坐在他身边，自顾自聊起朱哥家的吃的来。周宇倒也可爱，一个陌生女子如此自来熟，没反感还点头配合，那时的方岚一脸单纯，举手投足间酷似《十七岁不哭》里的郝蕾。

回公司的路上，周宇贴心在她左边并排着走，方岚视线移过去正巧是他的喉结，周围还有青色的胡茬，越看越羞涩，偷偷红了脸。在电梯里，两人才互留了名字，方岚心生荡漾地打开那个聊天App，按下最后一个赞，然后发现认错了人。

那天陈土木工作到第二天早上才回家，本说补两个小时觉，结果睡过头，直接错过了跟方岚的约会，在App里连发了数条信息对方都没回，临近傍晚时照片突然解了锁，马不停蹄地奔去公司上班，结果在大厦楼下看见照片里的方岚，上了领导周宇的保时捷。

说来也是缘分弄人，周宇对方岚一见钟情，出于成熟男人骨子里那份自信，丝毫不掩饰，中午一个微信就到方岚公司门口带她吃午餐，早晚下班都车接车送，在大庭广众下表白和送花。在同事朋友欣羡的目光里，方岚陷入了漫长的纠结。虽然一直以来心动的人并不是周宇，但她毕竟是一个普通的女人，周宇对她来说是个已经熟透的果实，不需要自己悉心照料，而且挥发出的乙烯还能催熟未成熟的她，没有前期投资，不承担风险，坐享其成。

所以方岚没有拒绝，但也没答应，保持默契的暧昧。周宇很喜欢承诺，承诺明天带她吃什么，承诺如果跟他在一起他会怎么对她，承诺两个人的未来会画成什么样子。他在爱情里好像很得意于一个“导演”的角色，对方岚照顾得体贴周到。那段时间，方岚过上了另一种生活，她终于去了那些奢侈品名店，在全市最贵的旋转餐厅吃过饭，周宇还带她去各种高端酒会，全程用她听不懂但音律厚实的英语沟通，她上大学时就在自己的个人介绍里写过，对英语好的男人没有抵抗力。她再也不用在地铁里挤成沙丁鱼罐头，即便堵在保时捷里也开心，终于可以在夜里看到这座城市霓虹下的全貌，好像看过的电影场景全部悉数重现。电台 DJ 传来温柔的声音，她偶尔恍神，几次回神过来，恍若一场大梦，但回头看见周宇的侧脸，看着他认真开车的样子，心里一阵和弦刷过，人生从没如此清晰过。

陈土木坐在朱哥店里，灌下第三罐啤酒，朱哥递来两只刚烤好的生蚝说，请你吃的，记着我的好。陈土木推了一下眼镜，面无表情地埋头吃起来。

这一周以来，他偷偷跟着方岚，看她每天跟周宇在一起，却只能眼睁睁看着，到了公司还要看周宇的脸色，自觉窝囊。

想着又打开一罐酒，朱哥见状，把油腻的毛巾往脖子上一挂，把啤酒推开，说，酒是别家的，少喝点，来他食堂，就吃他的东西。陈土木听话开始看菜单，朱哥急了，用毛巾抽了一下陈土木的头，呆子，不喜欢的姑娘别耽误人家，自己喜欢的姑娘，拼死命地追啊，你小子每晚耗在这儿，酒没少喝，事儿办成了吗？管对手是谁呢，你肯去追，离成功才近一点。

这事后来吧，朱哥给陈土木放了风，听说方岚最近被一个案子困住，于是在她加班犯愁的凌晨，陈土木给她的 App 发了个 Word 文档，整篇文案都写好了。被折磨得披头散发的方岚一脸错愕，才想起他们久未联系，这时身后的公司玻璃门响了几声，回头，陈土木正在吃力地推玻璃门，方岚走过去按下门锁，玻璃门向两边自动拉开，陈土木好不尴尬，傻乎乎地挠着脑袋一直笑。

跟陈土木的相处，又回到方岚熟悉的世界，因为之前聊天的默契，两人很快破了那层尴尬的隔膜，像是认识很多年的朋友。别看陈土木那一副二不啦叽的样子，但他有一项特别的技能，拥有第一时间找到美食的能力，以朱哥的店为圆心，绕着他们大厦，绵延出去的每条小巷子里，平日里忽略的街边店铺里，都能找到各种性价比超高的夜宵，那段时间方岚加班到很晚，两个人吃得不亦乐乎。从水果店出来，他们拎着一袋樱桃在空旷的大街上闲逛，陈土木突然说带她去一个地方，他们到了公司大厦的31层顶楼，穿过一段漆黑的走廊，生锈的铁门没上锁，轻轻一推就到了天台。天台上有一个视角特别好的石礅子，陈土木把方岚拉上去，整座城市的夜景尽收眼底，听着方岚止不住地尖叫，陈土木得意地咬着樱桃，还不忘用舌头给樱桃梗打结，逗得她乐呵呵直笑。

交完客户的案子那天，是凌晨三点，他们还是如往常一样准备去吃夜宵。到了大厦楼下，看见在保时捷里睡着的周宇，把他叫醒后，周宇说送她回家。方岚犹豫片刻，还是选择跟陈土木道别，上了周宇的车。

周宇知道之前跟方岚聊天的人是陈土木，但在他眼里，陈土木太平淡了，长相平淡，能力平淡，整个人放在他的世界里，渺小如石子，抛出去就被淹没，不会把他作为假想敌，更不会给他多少存在。

直到某明星选在大半夜跳楼，全民嗟叹，周宇让陈土木一人跟这个新闻，结果连续几天没合眼写专题的陈土木直接病倒，窝在家里烧了三天三夜，意识最迷糊的时候，听到门铃响，打开门，方岚拎着朱哥店里的外卖站在门口。

他火速冲去厕所整理了一下，出来后方岚正尖叫着玩他的兔子。是的，他养了一只迷你垂耳兔，灰色的一小坨肉球，懒洋洋地吃着方岚递来的菜叶。除了这只兔子，陈十木家还有很多萌点，看似不起眼的一居室，但他把家里每一面墙都贴上了不同的墙纸，配合墙纸风格还有不同的陈设，简直就把旅游景点那种游客 Cosplay 的业务搬到家里来了。那天陈土木帮方岚在墙前拍照，她抱着兔子走过“大本钟”“樱花树”“布鲁克林大桥”以及“紫禁城”，每次转头发丝轻轻飞着，像是一个精致的慢镜头。看着她那温婉的笑，陈土木突然退烧了，感觉一辈子都不会病了。

周宇知道方岚去了陈土木家后介怀了很久，不但当着同事的面说陈土木的专题写得莫名其妙，还派了一个刚来的新人改他的稿子。再好脾气也会被点燃，陈土木气不过，去周宇的办公室跟他理论，两个人从专题争到方岚，大动干戈。

但毕竟陈土木跟周宇不是一个级别的对手，周宇第二天就西装革履地带着方岚去市东面的海边玩，他租下一个海滨别墅，在游泳池里大秀身材，在海边搭起乐队，就着海风吃西餐。他郑重地对方岚说，这就是他们以后的生活，望余生请她指教，然后站起来俯身在方岚脸上留了一个吻。他太懂如何控制一个女人的心，方岚再次陷入纠结，正在吃的提拉米苏切到一半，发现里面藏着一枚戒指，海风突然像是一耳光打得方岚措手不及。

方岚当然没有答应他，八字才开始蘸墨水写第一撇，就被周宇心急地抬笔说，别画了，不重要。这当然重要，晚餐吃得膈应，方岚没有跟周宇再多说话，就一个人回房了。陈土木在 App 上发来信息，问她在干什么，她不知道怎么回复，把手机甩在一边坐在地上看书，没一会儿就靠着床脚睡着了。半夜惊醒，陈土木的垂耳兔正在舔她的手指，惊喜之余，看见了趴在别墅围墙外的陈土木。

他们在海边走，海浪把脚打湿，陈土木自嘲道，我发现每次我们碰一块儿都是在晚上，活脱脱两个大龄夜猫子。方岚也笑，不过笑得龇牙咧嘴，原来她偷跑出来穿的人字拖磨脚，陈土木脱下鞋给她穿，自己光脚提着人字拖吧唧吧唧地走得很快，结果脚心被贝壳划了好大条口子。末了，他开玩笑说，我可是有脚臭哦，让关心他伤口的方岚立刻甩掉他的运动鞋，抱着兔子白眼不停。

这一切，一路跟着他们的周宇都看在眼里。

因为陈土木之前做的专题里，周宇让他加上历史上自杀的公众人物盘点，结果稿子扒得太深，惹怒利益关系内的人，周宇被革了职。离开公司那天，落魄地在单身食堂喝酒，周宇跟朱哥说，我本可以让陈土木担这个后果的。朱哥问，那为什么没有？因为方岚求我，求我帮他，周宇说完仰头喝起酒来。

朱哥语塞，半天吞吐出一句话：现在的年轻人，怎么都喜欢喝酒啊。

尽管很多公司向周宇抛来了橄榄枝，但他都无动于衷，过了一段清闲日子。方岚出于愧疚，一直陪着他，有天周宇跟她讲了自己患癌的前女友，到了谈婚论嫁的地步，可对方一身轻提前离开了，让留下的人独自承担。方岚唏嘘，生活就是如此，没遇上觉得别人的故事都狗血失真，遇上了，才叹人世无常，真实的人生都比虚拟的故事精彩。

没人懂这个成熟男人的背后，经过多少叹息，才成为现在这闪闪发光的样子。

那天下了好大一场雷雨，窗外一声闷雷，方岚吓得缩在沙发上，周宇把她拥在怀里紧紧抱着，安慰道，别怕，今后都有我在。随后送来了一个温柔的亲吻，方岚感受着他嘴唇的温度，却觉得唾液不是那么甜，不太舒服，推开了周宇。

陈土木听着雨声狼狈地倒在沙发上，一脸破败，垂耳兔钻到他怀里，躺在大腿上，关切地望着他。陈土木抱起她，委屈道，小样，不枉费我平日里这么疼你，今后就只有你陪我啦。

陈土木删掉了聊天 App 上的方岚，解锁的照片又再度关上。两个人一个下班一个上班，白天黑夜分离，像身处不同的南北半球，在磨人的时差里渐渐过上不同的生活，互不打扰，又互相纠结。

方岚又跟朱哥讲了很多他们的故事，朱哥说，这两个小子都挺好，为你喝了不少酒。在所有光棍里，你算是幸福的了。说着递给她一枚硬币，打趣让她抛抛看，正面就选大众情人，反面就选那个大老粗。方岚愣住，再三犹豫，还是抛了，正面。

方岚生日这天是冬至，天黑得早，周宇在大厦楼下用蜡烛和玫瑰花瓣铺满爱心，让一个被革职的男人回公司受着非议嘲讽，像个小孩子一样制造浪漫，着实不容易。方岚还没下班，就已经有好事的同事来她这儿打小报告，她有些不知所措，脑子进入放空，刚把围巾系好，手机传来提示，那个聊天的 App 有人添加好友。

打开又是陈土木，他发来一条信息，我没有疾风骤雨般的爱和问候，只在你需要的时候，准时出现，如果喜欢，就点个赞。她点完赞，又来了一条新消息，他说，我没车，但有陪你走的两条腿；我没法保证不让你的世界下雨，但我带了伞。如果喜欢，就再点个赞，方岚莞尔一笑，点下旁边的红心。

十几次赞之后，剩下最后一个，陈土木却没再发来信息。方岚来到电梯口，给他回了一个“？”回去，大概又等了五分钟，见对方没反应，便进了电梯。

外面风大，蜡烛亮了又被吹灭，周宇就不停地来回点，甚至还烧掉了几根睫毛。他趴在地上挡着风，越来越多的人向他围过来。

电梯已经降到 9 层。

陈土木的信息来了：关键时刻没信号，快点赞！！！

简单粗暴。

方岚点下最后一个赞，照片解锁，是陈土木那个二愣子，吐着舌头，上面有一个结成爱心形状的樱桃梗。看背景，正在大厦楼顶。

方岚急迫地把剩下几层的电梯按键全部按亮，终于电梯在 3 层停下，然后飞快按下了 31 层。

那天方岚丢出的硬币，是正面，连上天都让她选周宇。方岚盯着硬币出神，她把手缓缓伸向那枚硬币，被朱哥一把抢过去，欠起嘴说，姑娘，投硬币，想扔第二次的时候，其实就已经知道答案了。

方岚已经知道答案了。

这只是单身食堂里，再普通不过的一个故事。

过去我们对待爱情，就像玩沙漏，沙到尽头又手贱把它翻过来，反复折磨，忘了真正适合自己的是什么。爱情吧，有时真的勉强不得，这座城市那么多光棍，我们不是不需要爱情，也不是我们自己不好，而是越来越明白自己要的是什么，精致的美食不如填饱肚子的米饭，打扮光鲜让别人称赞不如穿一件保暖的大衣。

内心无比强大，所有纠结就变得无足轻重，反正一切自有最好的安排。无论遇到的那个人说什么，不说什么，自己心里最初的坚持是不会变的，有句话说得好，我们都过了耳听爱情的年纪。不再虚度爱情，消耗自己了。

我们都需要一个愿意陪你的人，不需要那么多承诺，给一个适时的拥抱，嘘声后，安静地，与你走完一生的人。

后记

空调有话说

我有一个朋友，初中时苦苦沉溺于一段没结果的暗恋里，连上了对方的 wifi 信号却上不了网，每天哀声连连，为赋新词强说愁。但被时间齿轮一碾压，现在对那段时光更多的是感谢，因为对对方有过最诚挚的誓言和最纯真的感情，不枉青春年少一场，看着现在那些青春电影，也有了回忆的资本，叫嚣着，老子是早恋过的人。

这朋友在大学谈了人生中第一场正儿八经的恋爱，不过这光辉岁月里，除了可歌，还有可泣，催人泪下的事实是，他成了小三，哦不，一开始就是小三，被对方瞒了不说，还成了其正牌男友的敌人，几番纠缠后，落寞退出。他非常后悔，后悔自己长丑了，否则还有正牌什么事儿。

在那一次情伤后，他全面升级，解锁了隐藏技能，增加了若干装备，减肥加保养，成了一个七大姑八大姨会当着他妈面称赞“你儿子真帅”的人。为此攻击力防御力敏捷度全面提升，绝不轻易动心，自成一套高格调的恋爱标准。结果后来在网上认识一个特会写的文艺博主，一见倾心，谈起了作死的异地恋，被爱情击退，瞬间化身五毛一袋的摔炮，噼里啪啦地在人身边乱响。因为被距离上了枷锁，就凭空多出很多原则上的问题，比如多疑敏感又爱捆绑教育，致使两个人为数不多的见面相处成了爆发世界大战的导火索，看哪哪不顺眼，没出三个月，感情再以失败告终。

他适时看到一条朋友圈说：到底有多少人到现在还是不明白，人和人之间想要保持长久舒适的关系，靠的是共性和吸引。而不是压迫，捆绑，奉承，和一味的付出以及道德式的自我感动。

他悔不当初。

在这之后，他就学乖了，不随随便便恋爱，也不把爱情妖魔化得比天还高，而是自然处之，它愿来，好好招待，不愿，还有大把时间经得住等。去菜市场买一斤猪肉，还得洗个头穿个衣服走十分钟路，碰上个沙尘暴还得吃两嘴沙子呢，找个爱人以为躺在家里看几本鸡汤书，软件随便摇一摇就可以了吗？

这个朋友接下来还遇见过很多人，有的跟他频率不在一个世界，有的站在他门口，等他开门。他把这么多年面对感情的遭遇和心境都写成了故事，送给书里的男女主角们，有人说看了很感动，很想好好恋爱，有人说爱嘛，不就是个屁，但还得成天放啊，这个朋友感觉一时间这么多年的愚钝也都派上了用场。

可能因为长相不显个子，读者看他照片开玩笑说只有一米六，但放心，“浓缩”的都是精华。

哦，被你猜出来了，这个朋友就是我。

后来？后来这么私密的事儿，我为吗要告诉你？

有爱的人好好爱，至于那些被开玩笑说成单身狗的，咱一口唾沫喷过去，单身已经够可怜了，连人都不配做吗？

各位光棍们，晚上少熬夜，躺在床上不要来回刷着手机了，越刷越孤独，胃不好就少吃辣椒冷饮过热的食物，容易发胖体质的管不住嘴就多运动，一个人待着的时候就看看书，好的东西都值得花时间，所以无论你现在多辛苦也别放弃，想想已经坚持了多久才到这里，又是一年，还没人来牵你的手，请照顾好自己。

希望这本书能给你忙碌的生活带去一点甜头，对爱情还抱有几多向往和期待，那终究也对得起这份相遇。

愿做你一辈子的空调，冬天供暖，夏日送凉。

立式的，个儿高，任性。

2015 年 1 月 11 日

张皓宸

写故事的人、「一个」App高赞作者、编剧、插画爱好者

第六届新锐艺术人物文学类大奖得主

一直懂得爱自己，才知道如何爱别人

他的文字总是正能量满满

属性为中央空调，冬天供暖，夏日送凉

他将自己的插画与实物结合推出多款趣味插画集

引起网络广泛热议

代表作

《你是最好的自己》

微博ID

@张皓宸

微信公共账号

果麦

我与世界只差一个你

产品经理｜孙雯

责任编辑｜张璐　特约编辑｜一言　装帧设计｜陆骏璇　封面插画｜Chenquuu

摄影插图｜Cocu_刘辰　张泽阳　贺伊曼　J神　lesliemint　董歆昱

内文插画｜张皓宸　后期制作｜顾利军　执行印制｜刘淼

监制｜韩寒　策划人｜吴畏　小饭　金丹华

官方网站 http://www.guomai.cc

官方微博 http://weibo.com/gmguomai

官方天猫店 http://guomaits.tmall.com

扫二维码

收听有声版

图书在版编目（CIP）数据

我与世界只差一个你 / 张皓宸著. -- 天津 : 天津人民出版社, 2015.4（2015.4重印）
ISBN 978-7-201-09188-4

Ⅰ. ①我… Ⅱ. ①张… Ⅲ. ①短篇小说－小说集－中国－当代 Ⅳ. ①I247.7

中国版本图书馆CIP数据核字(2015)第042656号

天津人民出版社出版
出版人：黄沛
（天津市西康路35号 邮政编码：300051）
邮购部电话：（022）23332469
网址：http://www.tjrmcbs.com.cn
电子信箱：tjrmcbs@126.com
北京汇林印务有限公司印刷 新华书店经销

2015年4月第1版 2015年4月第2次印刷
880×1230毫米 32开本 9.5印张 4插页
字数：185千字
定价：36.00元